Médée
suivi de
Les Troyennes

ŒUVRES PRINCIPALES

Alceste
Médée
Les Enfants d'Héraclès
Hippolyte
Andromaque
Hécube
Les Suppliantes
Électre
Les Troyennes
La Folie d'Héraclès
Iphigénie en Tauride
Ion
Hélène
Les Phéniciennes
Oreste
Les Bacchantes
Iphigénie à Aulis
Rhésos
Le Cyclope

Euripide

Médée
suivi de
Les Troyennes

Traduit du grec ancien
par Victor-Henri Debidour

Librio

Texte intégral

La Médée d'Euripide

La question de l'origine

La tragédie grecque aurait jailli tel un miracle au VIᵉ siècle avant Jésus-Christ, issue selon Aristote du dithyrambe (hymne sous forme de dialogues entre un soliste et un chœur). Sa souche essentielle est de nature religieuse, son matériau celui qui existe depuis la nuit des temps : les légendes sacralisées par les poèmes homériques. Isocrate la voit d'ailleurs comme un prolongement de l'épopée : « Homère a transformé en histoire les affrontements et les guerres des demi-dieux, les tragiques ont transformé ces histoires en actions, si bien que nous n'en sommes plus seulement les auditeurs, mais les spectateurs. » Le théâtre naît avec la tragédie, sa grandeur est le fruit de tous les genres antérieurs qu'elle combine (l'épopée, la poésie lyrique, le dithyrambe). Alors si l'origine est attribuée à Thespis, personnage semi-légendaire, qui, en 534 av. J.-C., aurait inauguré le genre lors des Dionysies (fêtes du printemps à Athènes où se déroulaient des concours d'auteurs, des processions, des sacrifices), si l'on sait que Phrynichos (poète tragique du VIᵉ av. J.-C.) a exercé une grande influence sur Eschyle, nous ne possédons que des fragments de texte. Voilà pourquoi, indéniablement, la tragédie grecque reste l'œuvre de trois grands poètes : Eschyle, Sophocle et Euripide.

La première tragédie entièrement conservée est celle d'Eschyle, *Les Perses*, qui date de 472 av. J.-C.. Quarante-cinq années le séparent d'Euripide ; bien sûr les Grecs ont continué d'écrire des tragédies après la mort de ce dernier, en 406 av. J.-C., mais là aussi le temps n'en a pratiquement rien conservé. Soixante-dix ans auront donc suffi à ce phénomène littéraire pour « supplanter » les autres et marquer la littérature durant de nombreux siècles.

Fascinante par la violence, le pathos et la poésie qui en émanent, la tragédie atteint la perfection dès son apparition. Elle est à l'image des trois poètes qui lui ont apporté chacun la particularité de leur génie.

Sa structure non figée – il y a une évolution naturelle, pourrait-on dire, où les personnages et le dialogue priment sur les interventions du chœur. Eschyle avait deux acteurs à sa disposition qui devaient jouer successivement plusieurs rôles, Sophocle en introduisit un troisième – ne sera pas remise en cause : elle se constitue d'un *prologue* (avant l'entrée du chœur dans l'*orchestra*), d'une *parodos* (pendant l'entrée de celui-ci), viennent ensuite les *épisodes* (dialogues entre les personnages et le *coryphée*), entrecoupés de *stasima* (intermèdes chantés qui n'interrompent pas l'action mais amplifient la tension dramatique), et, pour conclure, l'*exodos*, qui suit le dernier chant du chœur. Mais la manière de traiter les personnages, la vision humaine et religieuse qui s'en dégage évolueront, chaque poète pouvant profiter de l'expérience de son prédécesseur.

Les divergences

Si la Muse n'a pas privilégié un tragique au détriment de l'autre, celui qui sera souvent critiqué par ses contemporains et dont la célébrité sera controversée, c'est Euripide. On peut se référer aux *Grenouilles* d'Aristophane – pièce écrite en 405 av. J.-C., cette comédie met en scène une querelle imaginaire entre Eschyle et Euripide – pour saisir les reproches et diverses railleries qui lui furent adressés. Il aurait vulgarisé le genre « par son goût pour le bavardage et les mendiants ».

Il est vrai que le poète a rapproché le monde tragique du quotidien, a donné la parole à de petites gens et tiré vers nous les héros de sang royal, les malmenant parfois pour questionner plus fortement le mobile de nos actes, le mal de notre condition.

Selon Nietzsche, « l'agonie de la tragédie c'est Euripide. Avec lui, c'est l'homme de tous les jours qui passa des gradins à la scène, et le miroir qui ne reflétait naguère que les traits de la grandeur et de l'intrépidité accusa désormais cette fidélité exaspérante qui reproduit scrupuleusement jusqu'aux ratés de la nature ». Mais il ne faut pas oublier qu'à partir de l'époque hellénistique Euripide devient le poète tragique par excellence, qu'il fut une véritable référence pour les auteurs latins, puis pour nos classiques, et que certains aujourd'hui le voient même comme un précurseur du théâtre « psychologique », tant son étude des caractères est approfondie.

Il a su bénéficier du chemin de ses pères, avec discernement et intelligence, il a pu profiter aussi de nouvelles découvertes, philosophiques et scientifiques, et fut marqué par de nombreux bouleversements politiques : Athènes, au moment où le poète écrit, est en train de chuter de son piédestal.

Oui, le vent tourne pour la cité glorieuse, Euripide écrit la majorité de ses pièces (18 conservées) durant des années difficiles où règnent la déception et la rancœur. La guerre du Péloponnèse (431-404 av. J.-C.) oppose Athènes à Sparte et engage presque toute la Grèce. De plus en plus, les cités soumises à Athènes se révoltent. Une épidémie de peste viendra encore aggraver la situation économique douloureuse. Cette crise politique et morale ne sera pas sans incidences sur l'œuvre du poète.

À l'inverse d'Eschyle qui voyait dans la guerre une lutte fervente où les justes triomphent, Euripide, lui, la dénonce. C'est le mal qui engendre le mal. Il se pose d'incontournables questions ; ce qu'il cherche ce sont les raisons de la misère humaine, les débordements de l'orgueil, la vanité de toute victoire.

La cité grecque va mal, mais ses intellectuels se portent bien, les idées et les découvertes affluent : naissance de la médecine, enseignement des sophistes – rhétorique, art politique, dialectique. Ce souffle intellectuel aura des répercussions sur l'œuvre euripidéenne, il suffit de constater l'habileté rhétorique de ses personnages, leur goût pour le débat d'idées. Mais ce n'est pas seulement au cœur du dialogue, de sa construction que gît la grande nouveauté du théâtre d'Euripide, le personnage prend une telle ampleur émotionnelle qu'il déroute, l'amour devient un thème essentiel dont la femme est le moteur. Plus que ses prédécesseurs, il veut percer le mystérieux féminin : l'instinct maternel, la passion, la fureur et la jalousie.

Médée en est un exemple. Complexe, toute en contraste, elle passe d'une émotion à une autre parfois si contradictoire. Il se joue un combat intérieur qui ne lui laisse aucun répit : raison et passion s'affrontent dans une rare violence. Trahie par Jason, cet époux qui la délaisse pour une femme de sang royal mais grec, celle que l'on appelle la barbare est obsédée par sa vengeance, son amour-propre blessé, et dresse un plan machiavélique qui ira jusqu'au meurtre de ses propres enfants. Mais c'est un terrible déchirement : une minute avant l'infanticide, elle tente encore vainement de se raisonner afin que son amour maternel puisse prendre le dessus. Nous assistons à un échec de la raison qui démontre à quel point l'intelligence humaine et la sagesse ne vont pas de pair, et que l'on ne fait pas le mal par ignorance. L'optimisme socratique est déjoué. Et la pièce ne manquera pas de choquer ses contemporains.

Si Eschyle et Sophocle ont préparé la voie, Euripide est le premier à atteindre une investigation psychologique de cette envergure. Sa Médée marquera les poètes de manière irréversible, c'est lui qui donne à ce personnage mythique sa dimension tragique, en faisant d'elle un monstre qui pourtant émeut et fascine.

Cette vision, en rupture, nous allons le voir, avec les précédentes, prendra une telle importance qu'aujourd'hui encore, et ce malgré des œuvres littéraires remarquables qui s'en éloignent comme *Médée* de Christa Wolf, c'est bel et bien la Médée d'Euripide que nous gardons en mémoire.

Le poète avait pour habitude de renouveler les légendes en leur inventant un dénouement imprévu, en prenant souvent le contre-pied de ses devanciers. Il choisissait la version rare d'un mythe et prenait le risque de s'en écarter.

La légende

> « Il n'existe pas de version vraie du mythe dont toutes les autres seraient des copies ou des échos déformés. Un mythe se compose de l'ensemble de ses variantes. C'est sa définition même. »
>
> Claude LÉVI STRAUSS

À l'époque mycénienne, au début de la seconde moitié du deuxième millénaire, le mythe de Jason et de Médée est déjà bien vivant à travers le voyage des Argonautes. Il est un héros, elle, une créature bienfaisante qui lui a permis de conquérir la Toison d'or.

À l'origine, la Toison est un bélier qui sauva les enfants du roi Athamas (d'Orchomène), Phrixos et Hellé. Menacés par leur belle-mère, les deux enfants durent fuir et le bélier volant les emmena vers l'est. Malheureusement, Hellé tomba à la mer (Hellespont) mais Phrixos atteignit la Colchide où le roi Aiétès l'accueillit. En témoignage de sa gratitude, le jeune garçon sacrifia le bélier à Zeus et en offrit sa merveilleuse toison.

Jason est le fils du roi de Iolcos, Aeson, et sa mère est Alcimède. Pélias, son oncle, a usurpé le trône si bien que le jeune Jason fut éloigné et éduqué par le centaure Chiron (l'éducateur d'Achille).

Adolescent, il rentre réclamer ce qui lui revient de droit, Pélias impose une condition : qu'il lui apporte la Toison d'or. Tout le monde sait que c'est pratiquement impossible : le voyage jusqu'en Colchide est long et semé d'embûches comme les symplégades (rochers qui écrasent les navires en s'entre-choquant, situés à l'entrée du royaume d'Aiétès) et le trésor est gardé par un dragon redoutable. Une mission impossible, sauf si des créatures célestes apportent leur aide précieuse. Héra (l'épouse de Zeus et grande divinité féminine de l'Olympe), qui veut se venger de Pélias, prend le jeune Jason sous sa tutelle. Ainsi le héros, accompagné de cinquante Thessaliens dont Orphée et Héraclès, se lance sur la mer à bord de l'*Argo*. Après de multiples péripéties, ils arrivent en Colchide. Le roi pense, tout comme Pélias, pouvoir piéger l'Argonaute qui devra, pour obtenir la Toison, mettre sous le joug des taureaux qui soufflent du feu par les naseaux, ainsi que semer dans le champ d'Arès des dents de serpents d'où jailliront des géants armés. Mais Médée, la magicienne et fille du roi Aiétès, trahira son père pour venir en aide à celui dont elle est tombée amoureuse. Grâce à ses pouvoirs, elle protégera d'onguents le corps de son futur époux, car, c'est la condition de sa protection, Jason doit lui promettre de l'épouser au retour. Il pourra alors affronter les taureaux, les géants s'entre-tueront entre eux, le dragon sera empoisonné et la Toison conquise.

La richesse et la complexité du mythe se manifestent dans la séquence du voyage retour. Il en existe au moins huit versions différentes. Mais une chose est sûre, avant Euripide, il n'y a pas de traces de l'infanticide de Médée.

La version la plus ancienne de l'expédition relatait probablement une fin heureuse, Jason remettait la Toison et obtenait le trône qu'il partageait aux côtés de la magicienne. Puis, au cours des siècles, passant de cité en cité, la légende prend une autre ampleur. Des actes sanglants apparaissent. On raconte que, pendant le retour, le navire fut poursuivi par l'armée d'Aiétès et lui-même, et que Médée découpa son frère Absyrtos en morceaux, pour les jeter à la mer et effrayer son père.

Arrivée à Iolcos, voilà qu'elle venge Héra en manipulant les filles de Pélias qui font bouillir leur père en croyant le rajeunir ! Médée ainsi que son époux sont alors chassés et trouvent refuge à Corinthe.

En ce qui concerne le crime commis sur les enfants du couple mythique, selon Eumélos (dans *Les Corinthiaques*, VIIe siècle av. J.-C.), l'épouse de Jason voulait rendre ses petits immortels en les sacrifiant au temple d'Héra ; selon Créophylos de Samos (VIe av. J.-C.), ce meurtre atroce est l'œuvre des Corinthiens qui par cet acte se seraient vengés de la mort de leur roi Créon.

Il y a une histoire de Jason et de Médée qui s'édifie à travers l'ensemble de la littérature antique. Quoi qu'il en soit de l'évolution de la légende et de ses nombreuses versions, il est certain qu'Euripide, par son génie, a immortalisé l'épisode corinthien. Désormais, Jason n'est plus simplement le victorieux Argonaute et la magicienne Médée devient un personnage complexe dont les crimes passés ne peuvent qu'en entraîner de nouveaux.

La dégradation que subit Jason est particulièrement forte dans la pièce d'Euripide, nous sommes loin de Pindare – dans la *IVe Pythique*, l'image du héros est idéalisée à outrance : il possède la beauté du dieu Apollon et tous ses actes témoignent de sa bravoure, de sa grandeur... –, ici le grand Argonaute n'est qu'un lâche, pas même intelligent. L'épouse répudiée peut ruser avec lui ou le confronter à sa faible argumentation, c'est un être égoïste et craintif. Comme l'a très justement écrit Alain Moreau (*Le Mythe de Jason et Médée*, Les Belles Lettres) : « Le vainqueur de la Toison aura traversé sans dommage le monde de l'épopée et celui de la poésie lyrique. Le monde de la tragédie lui aura été fatal. »

Les demi-dieux légendaires sont remis en question dans la tragédie, ils ne font plus l'objet d'admiration au sens propre, mais d'un débat à visée didactique. Il suffit de se rappeler la catharsis d'Aristote (la crainte et la pitié éprouvées par celui qui regarde ont fonction de purification). Le spectateur assiste à des comportements paroxystiques, une machine infernale où le sang engendre le sang, et si, selon Eschyle, seuls les dieux peuvent être les gardiens d'un ordre juste, chez Euripide, il n'en va plus de même. Quelle est l'origine des décisions humaines ? Quels sont les mécanismes de la volonté ? Médée souffre, raisonne, calcule et tue, il s'agit de plonger au cœur du mystère, de ne pas éluder les contradictions, le questionnement. Car Euripide enseigne surtout l'interrogation, il n'hésite pas à remettre en cause ses convictions, à aller toujours plus loin et presque de façon désespérée dans cette quête de la compréhension de ce qui nous habite. Il n'est donc pas étonnant qu'Aristote l'ait considéré comme le plus tragique des poètes.

Il a tout tenté, chacune de ses œuvres peut nous apparaître en contradiction avec la précédente, on ne peut tirer de son théâtre une unité de pensée ou une vision du monde bien précise, Euripide discute tout, interroge tout et ne craint jamais de se contredire. C'est que, comme le dit Simone Weil : « Les contradictions que la réflexion trouve dans la pensée sont essentielles à la pensée, les philosophes qui essaient de construire des systèmes pour éliminer ces contradictions sont ceux qui justifient en apparence que la philosophie est quelque chose de conjectural. » Le poète ne s'est jamais contenté de conjectures, il sait que la réalité se dérobe toujours mais qu'il ne faut jamais renoncer à la questionner. Il dénonce de nombreuses actions humaines, comme nous l'avons vu, mais il n'a pas de solution, elle serait fausse d'ailleurs, péremptoire. C'est tragique ! Mais Euripide est un pessimiste qui rayonne. Sa modernité provient de là : le poète nous pousse à entrevoir ce que cachent nos aveuglements. À nous de poursuivre ce questionnement de et sur nous-mêmes, à nous de voir ce que l'on peut en faire.

Mathilde LANDRAIN

Médée

PERSONNAGES

LA NOURRICE de Médée.
LE GOUVERNEUR des deux jeunes fils de Médée.
LE CHŒUR de femmes corinthiennes.
MÉDÉE, princesse de Colchide, femme de Jason répudiée par
  lui.
CRÉON, roi de Corinthe.
JASON, qui vient d'épouser la fille de Créon.
ÉGÉE.
Un MESSAGER.
Les deux jeunes fils de Médée ; servantes ; escorte de Créon.

(La scène est à Corinthe, devant la maison de Médée, où elle vit seule avec ses enfants depuis que Jason l'a quittée. La nourrice de Médée sort, seule, et reste devant la porte.)

LA NOURRICE. — Plût au Ciel que le coup d'aile du navire Argo vers la terre de Colchide n'eût point franchi la barrière bleuâtre des Rocs-qui-heurtent ! et que jamais dans les vallons du Pélion le pin n'eût été abattu sous la cognée, et n'eût mis la rame en main aux vaillants héros qui se lancèrent, pour Pélias, à la quête de la Toison d'Or ! Car alors ma maîtresse, Médée, ne serait pas venue aborder sur le sol d'Iolcos et vivre dans ses murs, l'amour au cœur, éblouie par Jason. Elle n'aurait pas persuadé aux filles de Pélias de tuer leur père, et n'habiterait donc pas ici, à Corinthe avec son mari et ses enfants. Elle cherchait à plaire aux citoyens de ce pays d'accueil, et personnellement était toujours conciliante envers Jason (c'est bien la meilleure sauvegarde d'une vie, quand la femme ne contrarie jamais son mari) ; mais en fait tout se dresse contre elle, elle est éprouvée dans ce qu'elle a de plus cher. Traître à ses propres enfants et à ma maîtresse, Jason s'est ouvert par mariage une alcôve royale, en épousant la fille de Créon qui préside aux destinées de ce pays.

Et Médée, la malheureuse, devant l'outrage, crie à la foi jurée, en appelle au don qu'elle a fait de sa main, et prend les dieux à témoins de la façon dont Jason lui répond. Prostrée, refusant de se nourrir, elle laisse son corps être la proie des tourments, et dépérir à longueur de temps dans les larmes, depuis qu'elle a appris l'affront que lui inflige son époux. Elle ne lève plus les yeux, son regard ne quitte pas le sol. Elle est aussi sourde que l'écueil, ou que la mer en ses remous, aux objurgations de ceux qui l'aiment – si ce n'est que par moments elle détourne son cou de neige pour un monologue de lamentation sur son père bien-aimé, sur son pays, sur sa maison, qu'elle a trahis pour suivre jusqu'ici un homme qui à présent la tient en dédain. Elle comprend, la pauvre femme, à l'école du malheur, comme il est précieux de n'être pas un expatrié...

Elle a pris ses enfants en horreur, loin d'avoir plaisir à les voir. Je crains qu'elle ne prépare quelque coup foudroyant. Car c'est une âme violente, et elle ne supportera pas le mauvais procédé dont elle est victime. Je la connais, et j'ai peur... Elle est redoutable, et qui s'est attiré sa haine aura bien du mal à pouvoir chanter victoire !

Mais voici ses enfants ; au sortir d'une partie de cerceaux, ils arrivent sans songer le moins du monde aux malheurs de leur mère : jeune cervelle n'est pas portée à se ravager.

(Arrivent deux jeunes garçons, accompagnés d'un vieil homme. Ce sont les fils de Médée et leur Gouverneur.)

LE GOUVERNEUR. — Dis-moi, toi qui depuis longtemps appartiens à la maison de ma maîtresse, pourquoi es-tu ainsi debout devant sa porte, toute seule, à lamenter misères avec toi-même ? Comment se fait-il que Médée consente à se passer de toi, à rester dans sa solitude ?

LA NOURRICE. — Vieillard, que Jason a attaché aux pas de ses fils, de bons serviteurs se sentent eux-mêmes atteints lorsque les choses vont mal pour leurs maîtres ; leur cœur en est saisi par contrecoup. Moi, j'en suis venue à un tel excès de douleur que le désir m'a envahie de venir dire ici à la face du ciel et de la terre les malheurs de ma maîtresse.

LE GOUVERNEUR. — L'infortunée ! Elle ne fait donc pas encore trêve à ses plaintes ?

LA NOURRICE. — J'envie ton optimisme ! Elle n'est pas encore à mi-chemin de ses peines : ce n'est que le début.

LE GOUVERNEUR. — Pauvre folle ! – s'il faut parler ainsi des maîtres... Elle ne sait rien de ses plus récents malheurs...

LA NOURRICE. — Que veux-tu dire ? Explique-toi ; ne me refuse pas cela !

LE GOUVERNEUR. — Rien. Et même, je me repens de ce que je viens de dire.

LA NOURRICE. — Je t'en supplie, au nom de notre solidarité de service, ne me cache rien ! Je garderai le silence, si tu y tiens, sur tout cela.

Le Gouverneur. — J'ai entendu dire... Je ne faisais pas mine d'écouter, je m'étais approché des joueurs de dés, là où s'asseyent les vieux les plus chenus, autour de la fontaine sacrée de Pirène. Quelqu'un disait que ces enfants allaient être chassés du territoire de Corinthe, avec leur mère, par celui qui gouverne ce pays, Créon. Mais ce qu'il racontait là, est-ce exact ? Je ne sais, et je voudrais bien que non !

La Nourrice. — Et cela, ce sort imposé à ses enfants, Jason le tolérera, malgré sa rupture avec leur mère ?

Le Gouverneur. — L'ancienne union s'efface devant la nouvelle, et celui dont il est question n'est pas un ami pour notre maison.

La Nourrice. — Alors, nous sommes perdus, si nous devons infliger à Médée un nouveau chagrin avant d'avoir éponger le premier.

Le Gouverneur. — Eh bien, quant à toi... Il n'est pas temps que notre maîtresse soit informée : alors, tiens-toi bien tranquille, et fais silence sur ce propos.

La Nourrice. — Enfants, entendez-vous comment votre père se conduit envers vous ? Puisse la mort... mais non : c'est mon maître. En tout cas, quelle preuve flagrante il donne de vilenie envers les siens !

Le Gouverneur. — Eh ! qui n'en fait autant ici-bas ? Tu as attendu ce jour pour t'apercevoir que tout homme se préfère à son prochain ?... de voir que ces enfants, pour des raisons d'alcôve, ont perdu la tendresse de leur père ?

La Nourrice. — Allons, entrez dans la maison, enfants : tout ira bien. Et toi, tiens-les le plus possible à l'écart d'elle, ne les introduis pas auprès d'une mère en furie. Déjà je l'ai vue jeter sur eux un regard de fauve, comme si elle avait quelque chose en tête. Sa colère ne s'apaisera pas, je le sais, avant d'avoir foudroyé quelqu'un. Pourvu qu'elle s'en prenne du moins à ceux qui la haïssent, et non à ceux qui l'aiment !

Médée (*de l'intérieur*). — Hélas ! malheur à moi ! Ah ! misère et chagrins ! Si je pouvais mourir !...

La Nourrice. — Voilà, c'est bien cela, chers enfants : votre mère déchaîne la rancœur de son cœur en fureur... Dépêchez-vous bien vite, entrez dans la maison ! Mais ne vous risquez pas à portée de ses yeux, n'allez point auprès d'elle, et tenez-vous en garde : farouche est son humeur, âpre est son caractère, buté son amour-propre... Allez, entrez bien vite à présent au logis...

(*Les deux enfants et leur Gouverneur pénètrent dans la maison.*)

L'orage de sanglots qui commence à monter fera bientôt jaillir sans nul doute les feux d'un courroux plus terrible : à quels actes cette âme d'un tempérament fier et rebelle à tout frein aura-t-elle recours sous la dent du malheur ?

MÉDÉE *(de l'intérieur).* — Hélas ! quelle misère est venue me frapper, misère à mériter les hauts cris ! Tout m'accable... Enfants maudits, nés d'une mère qui ne connaît plus que la haine, ah, puissiez-vous être effacés de ce monde avec votre père, et toute la maison crouler !

LA NOURRICE. — Ah ! quelle horreur ! Ah ! malheureuse, rends-tu les enfants solidaires de ce dont le père est coupable ? Pourquoi cette haine contre eux ? Ne va-t-il pas vous arriver quelque chose, hélas, chers petits ? c'est là l'angoisse qui me navre !

Terrible entêtement des princes ! peu faits à obéir, toujours à dominer, ils ont peine à changer le cours de leurs humeurs... Oui, le mieux c'est d'être formé à vivre dans l'égalité. Moi, puissé-je en tout cas rester hors des grandeurs, pour y vieillir dans la sérénité ! *Juste milieu* : le mot déjà dit l'excellence de la chose, et c'est de loin le meilleur sort dont puissent jouir les mortels. Ce qui le dépasse, jamais ne porte ici-bas bonne chance : un surcroît de calamités, voilà ce que gagne un foyer, si le courroux d'un dieu le vise !

> *(Pendant le monologue de la Nourrice, le Chœur, composé de femmes de Corinthe, est entré et a pris place.)*

LE CHŒUR.

> *J'ai ouï la voix, j'ai ouï les cris*
> *de l'infortunée, venue de Colchide...*
> *Point d'apaisement encore pour elle ?*
> *Parle, vieille femme !*
> *À travers ces murs et leur double porte*
> *j'ai ouï gémir...*
> *Va, je ne suis pas moins navrée que toi,*
> *femme, des tourments dont ce foyer souffre :*
> *il est devenu si cher à mon cœur !*

LA NOURRICE. — C'en est fait du foyer ! Tout cela maintenant est à vau-l'eau : lui, est l'otage du lit royal qu'il a cherché ; et elle, ma maîtresse, enfermée en sa chambre, ronge son existence, et nulle voix amie ne peut trouver de mots qui réchauffent son cœur.

MÉDÉE *(de l'intérieur).* — Puisse le feu du ciel transverbérer mon front ! À quoi bon pour moi vivre encore ? Hélas !

que vienne à moi la mort libératrice ! j'ai l'existence en haine : elle me l'ôterait !

LE CHŒUR. [Strophe]

Vous avez entendu – ô Zeus ! ô Terre et Ciel ! –
quels accents fait vibrer l'épouse infortunée ?...
Pourquoi donc ce désir,
folle, d'être couchée
au lit dont l'approche est horrible ?
Le terme de la mort ne viendra que trop tôt :
ne fais point pareille prière !
Si ton époux change d'alcôve,
tu ne dois pas pour cela
exaspérer contre lui
ton courroux : car Zeus saura
prendre en main ta juste cause.
Ne te ronge pas trop à pleurer ton lit vide !

MÉDÉE *(de l'intérieur).* — Grand Zeus, et toi Justice vénérable, voyez ce que j'endure, après les grands serments qui m'avaient attaché par la foi conjugale cet homme abominable ! Puissé-je un jour les voir, lui et sa jeune épouse, broyés – et leur palais avec eux – pour l'outrage qu'ils osent m'infliger sans grief préalable !

Mon père ! ô mon pays ! ô vous que j'ai commis le crime de quitter en égorgeant mon frère !

LA NOURRICE. — Vous entendez ce qu'elle dit ? Ses cris pour invoquer Justice, la garante des vœux sacrés, et Zeus, l'arbitre reconnu des serments entre mortels ? N'espérez pas que peu de chose puisse suffire à ma maîtresse pour que sa rage l'abandonne !

LE CHŒUR. [Antistrophe]

Il faudrait – mais comment ? – obtenir qu'elle vînt
se montrer devant nous, et qu'elle ouvrît l'oreille
à nos voix, nos paroles,
pour relâcher, qui sait ?
l'idée fixe qui la possède,
le lourd ressentiment qui pèse sur son cœur !
Que ma chaleur, à moi du moins,
ne manque pas à ceux que j'aime !
Va, fais-la venir dehors !
Dis-lui bien qu'on l'aime, ici...
Vite, avant qu'elle n'ait fait

des victimes sous son toit :
ses élans de rancœur peuvent la mener loin !

LA NOURRICE. — Je vais t'obéir, mais j'ai peur : la convain-
crai-je, ma maîtresse ? Pour te faire plaisir je m'y efforcerai.
Pourtant, c'est un regard de fauve qu'elle darde – celui d'une
lionne auprès de ses petits – sur ses servantes, quand l'une
d'elles s'approche en voulant lui parler.

On aurait bien raison de déclarer malavisés, et non point
doués de sagesse, les hommes de jadis. N'ont-ils pas inventé,
pour les festivités, les banquets et bombances, des chants dont
les accents disent la joie de vivre ? Mais nul, pour les chagrins
funestes d'ici-bas, n'a su inventer la musique, les symphonies
instrumentales qui les dissiperaient, eux qui traînent cortège
de morts affreuses, de malheurs qui font la ruine des foyers.
C'est pourtant là ce que les hommes auraient avantage à guérir
grâce à des chants. Mais à quoi bon, dans l'allégresse des
banquets, lancer de vains couplets ? Ne leur suffit-il pas, pour
les mettre en liesse, de ce qui s'offre à eux : la table qui les
rassasie ?

(Elle entre dans la maison.)

LE CHŒUR.

J'ai entendu retentir
sanglots et gémissements :
en ses tourments, elle crie
à voix aiguë et lugubre
la trahison de son lit
par son exécrable époux.
Devant l'outrage subi
elle invoque la divine
Justice, fille de Zeus
et gardienne des serments :
n'est-ce pas sur sa foi qu'elle s'est embarquée
pour la Grèce, la nuit,
passant des flots salés d'un continent vers l'autre,
mettant le cap sur le détroit
qui ouvre la mer sans limites ?

(La porte s'ouvre. Médée paraît.)

MÉDÉE. — Femmes de Corinthe, je suis sortie de chez moi
pour ne pas me mettre en butte à vos reproches. Car on marque souvent, je le sais, un naturel trop hautain en se claque-
murant – en se montrant en public aussi, d'ailleurs... Mais

ceux qui ne bougent pas de leur retraite se font juger sévère-
ment, comme repliés sur leur quant-à-soi. C'est que les gens
ne sont pas à même de voir équitablement les choses, quand,
avant d'avoir pénétré vraiment un être dans ses fibres profon-
des, ils le prennent en haine, sans avoir subi aucun tort de sa
part. Mais de son côté un étranger doit se prêter sans réserve
à la communauté ; entre citoyens d'ailleurs je n'approuve pas
non plus un caractère abrupt qui blesse les autres, faute d'un
tact éclairé.

Eh bien moi, je suis victime aujourd'hui, contre toute
attente, d'un coup qui me laisse l'âme brisée. Je suis anéantie,
la joie de vivre m'a quittée, et j'aspire à la mort, mes amies !
Celui en qui je mettais tout, le voici devenu, je m'en rends
bien compte, le plus scélérat des hommes, lui, mon mari !

De tous les êtres doués de vie et de pensée, c'est bien nous
autres femmes qui sommes le rameau le plus misérable. Pour
commencer il nous faut, par surenchère de dot, nous acheter
un époux – et c'est un maître que nous recevons pour notre
corps, ce qui rend plus mauvais encore ce mauvais marché.
Ce qu'il y a de décisif en jeu, c'est ceci : sera-t-il mauvais,
sera-t-il bon, ce mari ? Car le divorce ternit la réputation d'une
femme, et elle ne peut pas, elle, répudier son conjoint. Intro-
duite au milieu d'habitudes et de règles nouvelles, il lui faut
deviner, sans avoir reçu chez elle aucune leçon sur ce point,
comment se comporter exactement dans ses relations conjugales. Et si, grâce à la peine que nous prenons pour y réussir,
notre époux reste volontiers attelé à la vie commune, notre
existence est enviable. Sinon, il faut succomber. L'homme,
lui, lorsqu'il lui est pénible de partager la vie du foyer, il s'en
échappe, et guérit ainsi son cœur du dégoût qu'il en a. Mais
nous, nous sommes forcées de n'avoir d'yeux que pour un seul
vivant. On dit que nous menons une vie sans péril à la maison,
tandis que les hommes sont voués aux combats et aux armes :
quelle erreur ! J'aimerais mieux trois engagements le bouclier
au bras qu'une seule maternité.

Mais ce que je dis là ne s'applique pas de la même façon à
toi et à moi. Toi, tu as ici des concitoyens, une maison paternelle, des conditions de vie favorables, et des amis pour t'en-
tourer. Moi, isolée, déracinée, je suis outragée par un mari
pour qui je ne suis qu'un butin ramené d'un pays barbare. Et
je n'ai ni mère, ni frère, ni parent pour m'offrir un autre havre
devant le désastre qui m'atteint.

Donc, voici ce que j'attendrai de toi, rien de plus : si pour moi se découvre quelque moyen, quelque combinaison pour punir mon mari de ce que j'endure, garde-moi le silence. Ah ! une femme est en général pleine de crainte, elle ne vaut rien pour la force physique, pour regarder en face une arme blanche. Mais quand ce sont ses droits conjugaux qui se trouvent bafoués, il n'y a pas d'âme plus sanguinaire que la sienne !

LE CORYPHÉE. — Compte sur moi. Tu es dans ton droit, Médée, en punissant ton époux, et je ne suis pas surprise que tu sois ulcérée de ce qui t'arrive.

Mais je vois s'avancer Créon, le roi de ce pays ; il vient t'annoncer de nouvelles mesures.

(Entre Créon avec une escorte.)

CRÉON. — Dis donc toi, avec ton œil hargneux et ta fureur conjugale, Médée, je t'enjoins de quitter ce pays, dont je te bannis, en emmenant avec toi tes deux enfants, et sans aucun délai ! Assurant moi-même l'exécution de cet édit, je ne m'en retournerai pas vers le palais avant de t'avoir jetée hors des limites du territoire.

MÉDÉE. — Hélas ! tout est perdu ! C'en est fait de moi, malheureuse ! Mes ennemis, je le vois, ne reculent devant aucune manœuvre, et je n'ai pas d'issue à ma portée pour échapper au désastre ! Mais cette triste situation ne m'empêchera pas de te poser une question : pour quel motif me chasses-tu de ce pays, Créon ?

CRÉON. — C'est que j'ai peur de toi – à quoi bon draper des circonlocutions ? Tu pourrais faire à ma fille quelque mal sans remède. Bien des raisons convergent pour me le faire craindre. Tu as de savantes ressources, tu es versée en bien des maléfices, et tu te désoles de n'avoir plus d'homme dans ton lit ! Et puis, il me revient d'après certaines informations, que tu menaces, à propos de ce mariage, celui qui l'a permis, celui et celle qui l'ont contracté, d'un coup de ta façon : mon intention est de prendre les devants pour nous en garantir. J'aime mieux que tu me trouves aujourd'hui odieux, femme, et n'avoir pas à regretter amèrement plus tard de m'être montré débonnaire.

MÉDÉE. — Hélas, ce n'est pas la première fois – cela m'est arrivé bien souvent, Créon ! – que mon renom m'aura nui : il m'a valu de grands malheurs ! Jamais un père, s'il a du discernement, ne devrait faire enseigner à ses enfants un trop vaste savoir. Car, outre le nom de fainéants qu'on leur applique, ils y gagnent la jalousie et la malveillance de leurs concitoyens. Apportez-vous à des butors quelque savoir inédit, ils verront en vous un bon à rien, et non pas un savant. Si en revanche vous faites admettre votre supériorité sur ceux qui passent pour doctes et subtils, on verra en vous un gêneur dans la cité ! Et tel est bien le sort que j'ai moi-même en partage : mon savoir suscite la jalousie des uns, le scandale chez les autres, et pourtant il ne va pas bien loin, mon savoir !

Ainsi toi, je te fais peur : quelque incartade à subir de ma part... Va, Créon, tu n'as rien à redouter de moi, je ne suis pas en position de manquer à des têtes couronnées ! Et puis, quel mal m'as-tu fait, toi ? Tu as donné ta fille à qui le cœur t'en disait. Mon mari, oui, je le hais. Mais toi, je trouve ta conduite fort sage. Et à l'heure qu'il est je n'envie pas ta félicité. Gai ! Mariez-vous ! tous mes vœux de bonheur ! Mais laissez-moi habiter ce pays : j'ai été maltraitée, mais je saurai me taire, vaincue par plus puissants que moi.

CRÉON. — Propos bien doux à l'oreille – mais au fond de ton cœur, je tremble que tu ne médites quelque malheur. Le peu de confiance que tu m'inspirais jusqu'ici en est sapé d'autant. Femme bouillante (c'est vrai aussi pour l'homme) laisse meilleure prise pour se garder d'elle qu'une furie qui se masque sous le silence. Allons, hors d'ici au plus vite ! Pas de discours ! La cause est jugée. Aucun artifice ne te permettra de rester dans nos parages, car tu me veux du mal.

MÉDÉE. — Non ! pas cela ! à tes genoux, au nom de la jeune épousée, de ta fille !...

CRÉON. — Paroles perdues : tu ne saurais me fléchir.

MÉDÉE. — Ainsi tu vas me chasser, sans égard pour mes supplications ?

CRÉON. — Oui : j'aime mieux ma maison que ta personne.

MÉDÉE. — Ô ma patrie ! quelle pensée poignante j'ai pour toi aujourd'hui !

CRÉON. — Moi aussi, après mes enfants, je n'ai rien de plus cher.

MÉDÉE. — Ah ! quel mal peuvent faire les amours humaines !

CRÉON. — Cela dépend surtout, je pense, des circonstances du sort.

MÉDÉE. — Ô Zeus ! ne prends pas le change sur le responsable de ces malheurs !

CRÉON. — Va-t'en, avec tes sottises ! Et mets-moi hors de peine !

MÉDÉE. — C'est moi qui suis dans la peine – et qui n'ai pas besoin d'un surcroît de peine...

CRÉON. — La poigne de mes gens aura tôt fait de t'expulser, de force !

MÉDÉE. — Non ! pas cela ! Je sollicite de toi, Créon...

CRÉON. — Tu vas faire des embarras, femme, on dirait ?

MÉDÉE. — Nous nous exilerons ; ce n'est pas ce que je demande de m'accorder...

CRÉON. — Alors, pourquoi fais-tu rébellion, au lieu de débarrasser le pays ?

MÉDÉE. — Une journée, une seule ! Laisse-moi ce délai de réflexion pour fixer le chemin de notre exil, et trouver des ressources pour mes enfants, puisque leur père ne croit pas devoir s'en préoccuper. Aie pitié d'eux : toi aussi tu es père, il est naturel que tu leur sois bienveillant. Car ce n'est pas mon sort à moi qui m'inquiète à la pensée de cet exil, c'est sur eux que je pleure, devant l'adversité qui les frappe.

CRÉON. — Mon caractère n'est pas d'être tyrannique et buté. J'ai des égards pour autrui, et cela m'a souvent coûté cher. Ainsi à présent, j'ai beau me rendre compte que j'ai tort, tu obtiendras cette faveur. Mais écoute-moi bien d'avance : si demain la divine lumière du jour te voit encore, toi et tes enfants, à l'intérieur de nos frontières, tu mourras. J'ai dit, et cette parole ne souffrira aucun démenti.

(Il s'éloigne.)

LE CORYPHÉE. — Hélas, infortunée ! ah ! je plains ta détresse ! Où vas-tu te tourner ? Et qui t'accueillera ? Un foyer, un pays pour te sauver de peine, où les trouveras-tu ? Le tourbillon de maux où t'a jetée un dieu, Médée, est sans issue !

MÉDÉE. — Oui, de tous côtés mon malheur est consommé. Qui le niera ? mais cela ne se passera pas de la sorte, ne le croyez pas si vite ! De rudes épreuves attendent encore les nouveaux époux, et qui les a mariés n'aura pas peu à en souffrir. T'imagines-tu que j'aurais jamais cajolé cet homme, si ce n'eût été par intérêt, ou par rouerie ? Sans quoi je ne lui aurais même pas adressé la parole, ni touché la main. Mais il a poussé si loin la bêtise que, pouvant anéantir mes projets en me chassant du pays, il m'a laissée libre de rester pendant cette journée ! Elle me servira à faire de mes ennemis trois cadavres : le père, la fille, et mon mari !

Mais pour eux j'ai bien des moyens de mise à mort, et je ne sais lequel adopter le premier, mes amies. Incendier leur nid conjugal ? ou leur plonger dans la poitrine la lame aiguë d'un poignard, en me glissant sans bruit dans la chambre où s'étale leur lit nuptial ? Mais il y a une chose qui m'arrête : si l'on me surprend à être entrée dans leur maison et à préparer mon coup, ce sera la mort pour moi, et mes ennemis auront de quoi rire. Le mieux, c'est de suivre directement la route que m'ouvrent tout spécialement les ressources de mon savoir : les supprimer par le poison.

Bien : les voilà morts... Mais quelle cité me recueillera ? Quel hôte m'offrira l'asile de son pays, la caution de sa demeure pour ma personne ? Aucun ! Je vais donc attendre un petit peu, et s'il se présente à moi quelque rempart sûr, je les ferai périr par cette voie sournoise et feutrée. Mais si par malheur cela m'est refusé sans nulle autre issue, moi-même, de ma main, au fil de l'épée – et dussé-je y laisser la vie – je les tuerai, en bravant tout dans ce recours à la force. Non, j'en fais serment, par la Dame à qui je rends un culte de prédilection, et que je me suis choisie pour alliée, Hécate qui a sa niche au plus profond de ma demeure, pas un de ces gens-là n'aura à se féliciter de m'avoir broyé le cœur. Par mes soins, amer et lugubre sera ce mariage pour les uns, amers pour l'autre son patronage et mon exil !

Allons, n'épargne rien de ton savoir, Médée, en mûrissant ton plan, en tramant ton complot ! En avant, vers l'horreur ! C'est, pour ta force d'âme, l'instant de vérité ! Tu vois comme on te traite : faut-il donc qu'on te voie livrée à la risée par Jason ralliant la lignée d'un Sisyphe, toi qui as eu pour père un homme généreux, pour aïeul le Soleil ? Et le savoir, tu l'as ! Enfin, si par nature femmes sont en tout point inaptes à bien faire, nous sommes, pour ourdir n'importe quel méfait, en tout point compétentes !

LE CHŒUR. [Strophe I]

Les saintes eaux des fleuves
coulent à contre-mont !
Justice, et toutes lois du monde se retournent !
Perfidie masculine étale ses desseins,
la foi jurée aux dieux ne tient plus devant elle,
et c'est à nous qu'on rendra gloire en notre vie
par un retour de renommée.
Voici qu'on saura faire honneur
au sexe féminin, renoncer au décri
qui ternit le renom des femmes !

[Antistrophe I]

Les Muses cesseront
de chanter le refrain
des bardes du vieux temps : notre déloyauté.

Et si Phébus, maître des chants, n'eût refusé
à notre esprit le don du lyrisme inspiré
j'aurais fait retentir un hymne de revanche
contre cette race des mâles :
le long déroulement des âges
montre que sur leur compte autant que sur le nôtre
on trouve largement à dire !

(À Médée)   [Strophe II]

Loin du foyer paternel
sur la mer tu t'es enfuie
(ton cœur était en folie...)
Tu en as franchi l'issue
marquée par les Rocs jumeaux,
pour vivre en terre étrangère.
Et ton lit veuf a perdu
l'homme qui le partageait,
malheureuse ! Et l'on te chasse
en exil, indignement !

[Antistrophe II]

Adieu, respect des serments !
Le sens de l'honneur a fui
les horizons de la Grèce :
vers les cieux s'est envolé...
Point de maison paternelle
pour t'ouvrir, infortunée,
un havre contre tes peines !
Une autre, de sang royal,
prévaut sur tes droits d'épouse
et te supplante au foyer !

(Entre Jason.)

JASON. — Ce n'est pas la première fois que je constate – cela m'est arrivé bien souvent – à quel point la hargne d'humeur est une plaie sans remède. Il ne tenait qu'à toi de rester l'habitante de ce sol, de ce logis, si tu acceptais en douceur de te plier aux vues du plus fort, et tes propos aberrants vont te chasser du pays. Pour moi personnellement, ce n'est pas une affaire : tu peux bien répéter sans fin que Jason est le plus vil des hommes. Mais quant aux personnes royales, après ce que tu as proféré contre elles, dis-toi bien que c'est un traitement de toute faveur qu'on t'a accordé par cette sentence d'exil. Moi, j'essayais de neutraliser les colères du souverain, je voulais te voir rester. Mais loin de mitiger ta frénésie, tu déblatérais toujours contre le trône. Et voilà pourquoi tu vas être chassée du pays.

Pourtant, même là-devant, je n'aurais pas renié les miens ; et me voici venu, poussé au moins par le souci de prévenance, femme, de ne pas te laisser chasser avec les enfants sans viatique ni ressources. Car si tu me détestes je serais incapable, moi, de te vouloir jamais du mal.

Médée. — Monstre de vilenie ! – car tu mets ici le comble à ce que tu me donnes à dénoncer en toi : vil jusqu'à la lâcheté ! te voici qui viens me trouver, te voici, toi mon pire ennemi ! Il n'y a ni fermeté d'âme, ni belle bravoure, quand on s'est conduit de manière vile envers les siens, à les regarder en face. Au contraire, c'est là de toutes les tares humaines la plus grave : l'impudence ! Mais tu as bien fait de venir : je me soulagerai le cœur à te fustiger, et toi, à entendre ce que j'ai à te dire, tu vas souffrir !

Mais je commencerai mon propos par le commencement. – Je t'ai sauvé ; cela, ils le savent assez ces Grecs qui s'embarquèrent sur le navire Argo avec toi. On t'avait imposé mission de plier à ta loi, sous le joug, les taureaux aux naseaux embrasés, et de faire semaille aux sillons de la mort. Le dragon qui, lovant ses replis tortueux autour d'elle, gardait la Toison toute d'or, sans jamais s'endormir, je l'ai tué, faisant briller bien haut pour toi le flambeau du salut. Et puis j'ai pris sur moi de trahir, pour te suivre – par un élan fervent, ou plutôt par folie ! – mon père et ma maison. Je vins à Iolcos, au pied du Pélion. En tuant Pélias – d'une mort comme il n'en est pas de plus atroce : par ses propres enfants – j'ai effacé pour toi toute raison de crainte.

Voilà ce que tu as reçu de moi, toi le plus vil des hommes, qui après cela m'a trahie en te procurant une nouvelle partenaire, malgré les fils qui nous sont nés ! Si tu n'avais pas encore d'enfants, tu serais excusable d'avoir convoité cette union... Mais loin de toi la fidélité aux serments ! Ah ! je voudrais pouvoir te comprendre : crois-tu que les dieux que tu invoquais alors sont détrônés ? ou bien qu'il y a des lois nouvelles pour les consciences humaines, aujourd'hui ? Car enfin tu te rends parfaitement compte de ton parjure envers moi... Hélas, cette main que tu prenais si souvent ! ces genoux que tu étreignais ! Vaines démonstrations d'un vil personnage ! Comme mes espoirs ont été trompés !

Mais soit ; je vais faire comme si tu m'étais ami : causons ! Certes, de toi puis-je rien attendre dont j'aie à me féliciter ?

mais n'importe : les questions que je te poserai feront mieux voir ton infamie. À cette heure, de quel côté me tourner ? vers la maison de mon père, que j'ai trahie en ta faveur, ainsi que ma patrie, pour venir ? Vers les malheureuses filles de Pélias ? Oui, le bel accueil qu'elles me feraient chez elles, à moi qui ai tué leur père ! Car c'est que j'en suis là : de qui m'aimait chez moi, je me suis fait détester, et des autres, à qui je n'avais pas lieu de nuire, je me suis attiré, pour te faire plaisir, l'hostilité farouche. En récompense de quoi tu m'as comblée de bonheur, aux yeux de tant de femmes par toute la Grèce ! Le merveilleux époux, et fidèle, que j'ai en toi, pauvre femme que je suis, puisque je vais m'enfuir, expulsée de ce pays, seule avec mes enfants, les seuls êtres chers qui me restent... Le beau haro, ma foi, sur le nouveau marié, quand on verra par les chemins mendier ses enfants – et moi, qui t'ai sauvé !

Ô Zeus, toi qui pour éprouver l'or qui est de mauvais aloi as fourni aux hommes des moyens sûrs, pourquoi les hommes n'ont-ils pas, imprimé sur le corps, un signe à quoi reconnaître la vilenie ?

LE CORYPHÉE. — C'est une chose affreuse – et comment la guérir ? – la colère où l'on voit s'affronter en discorde ceux qui devraient s'aimer !

JASON. — Il me faut, à ce que je vois, les dons du bon orateur. Comme un marin qui mène judicieusement sa barque, je dois serrer la toile pour échapper sous les déchaînements de ta faconde : quel accès de loquacité, femme ! Pour moi – car tu élèves vraiment trop haut la pyramide de tes services – m'est avis que c'est à Cypris que je dois le salut de mon expédition, à elle seule parmi les dieux et les hommes. Certes, tu as l'esprit délié, mais il en coûte à ton amour-propre d'avouer que c'est l'Amour qui t'a forcée, par ses traits que tu n'as pu esquiver, à sauver ma personne. Mais je ne veux pas me montrer trop pointilleux sur ce chapitre : je te dois beaucoup, et quel qu'ait été ton mobile, il n'y a pas à t'en faire grief.

Pourtant, si tu m'as sauvé, tu as reçu pour cela bien plus que tu n'as donné. Je m'explique. D'abord, tu habites un sol grec, au lieu d'une contrée barbare. Tu sais ce qu'est la Justice, et le régime où règnent les lois, non pas pour le bon plaisir de la force. Tout le monde a appris en Grèce combien tu es savante, tu t'es fait une célébrité. Si tu habitais encore aux confins de la terre, personne ne parlerait de toi. Or quant à moi, avoir un palais rempli d'or, ou une voix de chanteur plus belle que celle d'Orphée, cela ne me tenterait pas, si cette faveur du sort ne devait pas me mettre en vedette. Sur les épreuves que j'ai assumées, je m'en tiendrai là ; aussi bien est-ce toi qui as engagé cette controverse.

Quant à tes reproches visant mon mariage princier, je vais te prouver que j'ai fait preuve en cela d'abord de sage habileté, ensuite de maîtrise de moi-même, et enfin de dévouement efficace pour toi et pour mes enfants. *(Mouvement d'indignation de Médée)* Calme-toi, je te prie.

Quand, émigré d'Iolcos, je vins m'installer ici, quelle aubaine plus heureuse aurais-je pu imaginer que celle-ci : épouser une fille de roi, moi, un banni ? Ce n'est pas, comme je t'en vois ulcérée, par dégoût de partager ton lit, ni sous le coup de la convoitise pour une compagne toute neuve, ni par l'ardent désir de multiplier à l'envi ma postérité. Les fils que j'ai me suffiraient, et je ne te reproche rien. Non : je voulais nous assurer un beau train de vie, à l'abri du besoin, sachant bien que le pauvre est sans amis : tous en fuite, plus personne ! Je voulais, pour élever les enfants d'une façon qui fût digne de ma maison, à ceux que tu m'as donnés, joindre de jeunes frères, les mettre tous sur le même pied et, en faisant une gerbe unique de toute ma lignée, assurer notre bonheur. Car toi, qu'as-tu besoin d'autres enfants ? Et moi, j'ai intérêt à ce que ceux qui viendront à la vie épaulent ceux qui y sont déjà. Est-ce mal avisé ? Toi-même, tu avouerais que non, si tu n'étais pas froissée dans tes appétits charnels. Mais vous en êtes à ce point, vous autres femmes, que si vos affaires d'alcôve vont à votre gré, vous vous estimez comblées, mais s'il leur advient quelque anicroche, vous voyez, dans ce qui ne laisse pas d'être éminemment avantageux et honorable, un acte de guerre déclarée. Ah ! les hommes devraient pouvoir se reproduire par quelque autre moyen, sans qu'existât la femme ! Alors, tout irait bien pour eux, sans cette engeance !

Le Coryphée. — Jason, tu as fort bien trouvé ton plaidoyer. Pourtant, dût mon propos décevoir ton attente, avoir trahi ta femme, à mon sens, c'est injuste !

Médée *(les yeux dans le vide).* — Oui, sur une foule de points je suis en désaccord avec la foule des hommes : à mes yeux, quand un homme injuste a les dons d'un habile orateur, c'est la circonstance la plus aggravante qui soit pour le condamner. Comme il se flatte de pouvoir, par sa faconde, donner à l'injustice de beaux dehors, il ne recule devant aucune audace. Mais elle ne le mène pas loin, son habileté !

(*À Jason, brusquement*) Ainsi ne viens donc pas toi non plus étaler des virtuosités de beau parleur ! Car un seul mot va te démolir : tu n'avais, si ta conduite n'était pas coupable, qu'à me faire partager tes vues avant d'épouser cette fille ! Mais tu n'en as pas soufflé mot aux tiens !

JASON. — Oui-da ! Tu te serais bien gentiment rangée à mes arguments si je t'avais parlé mariage, toi qui, même à présent, ne sais pas prendre sur toi de fléchir la grande colère qui te tient le cœur !

MÉDÉE. — Ce n'est pas là ce qui te tenait. C'est que ta compagne barbare, en perdant sa fraîcheur, commençait à cesser de te faire honneur.

JASON. — Sache une bonne fois que ce n'est pas pour la femme que j'ai fait ce mariage princier où je suis engagé maintenant. Comme je l'ai déjà dit tout à l'heure, je voulais te sauver, toi, et à mes enfants donner des frères de naissance royale, qui seraient le rempart de ma maison.

MÉDÉE. — Qu'on ne me parle pas d'un bonheur que je ne pourrais que déplorer, d'une prospérité dont mon cœur serait ulcéré !

JASON. — Sais-tu ? Change donc de vœu, et tu te montreras plus avisée. Ce qui est excellent, ne le vois pas comme déplorable, et de l'heureuse fortune ne fais pas une infortune !

MÉDÉE. — Va ! outrage-moi ! tu sais où te mettre à couvert, toi ! Moi, c'est abandonnée de tous que je vais m'exiler de ce sol.

JASON. — C'est toi qui l'as voulu. N'en accuse pas autrui.

MÉDÉE. — Voulu ? en quoi faisant ? En te trahissant pour prendre femme ?

JASON. — En lançant contre le trône des malédictions abominables.

MÉDÉE. — Pour ton foyer à toi aussi, va, je porterai malédiction !

JASON. — Suffit là-dessus : je ne discuterai pas avec toi plus avant. Mais si tu veux, pour les enfants et pour ton propre exil, que je verse quelque subside de ma bourse, parle. Je suis prêt à te donner sans lésiner, comme à faire signe à mes hôtes pour t'introduire auprès d'eux et t'assurer leurs bons offices. Si tu refuses, femme, ce sera folie : désarme plutôt ta colère, tu y trouveras meilleur compte.

MÉDÉE. — Que j'aie recours à tes hôtes ? que j'accepte d'eux quoi que ce soit ? jamais ! Nous n'avons que faire de tes présents : ce que donne un méchant ne peut être un bienfait.

JASON. — Eh bien, je prends du moins les dieux à témoins de ma volonté de tout faire pour te rendre service, à toi et aux enfants. C'est toi qui te rebutes devant le bien qu'on te veut, et qui, par ton arrogance, repousses tes amis. Tu n'en souffriras que davantage.

MÉDÉE. — Va-t'en ! Le désir te mord, n'est-ce pas, de cette fille, ton épouse toute fraîche, à t'attarder loin de sa chambre et de ses beaux yeux ! Va remplir tes devoirs de mari ! Peutêtre – le Ciel voudra bien m'entendre ! – ce mariage te réservet-il de quoi te le faire renier.

(Jason s'éloigne.)

LE CHŒUR.   [Strophe I]

Lorsque des amours forcenées
assaillent les hommes,
ceux-ci n'en retirent
ni renom flatteur ni mérite.
Mais, quand son empire
reste mesuré,
Cypris est la déesse exquise
par-dessus toute autre !...
Souveraine Dame,
veuille ne décocher jamais
de ton arc doré
contre toi le trait
auquel nul ne peut échapper,
et que tu as trempé au venin du Désir !

[Antistrophe I]

Puisse le plus beau don des dieux,
la Chasteté, faire
de moi ses délices !
Puisse Cypris, la redoutable,
ne pas m'imposer
discords acharnés,
querelles inassouvissables
en rendant mon cœur
ivre du désir
de passer au lit d'un autre !
Ah ! qu'Elle ait égard
à la paix des couples,
et qu'en l'alcôve des épouses
ses édits règlent tout en esprit de justesse !

[Strophe II]

Ô mon foyer ! ô ma cité !
Puissé-je n'être point réduite
au destin d'une sans-patrie
pour la sinistre traversée
d'une existence de détresse
dans des tourments si déplorables !
Oui, puisse la mort, la mort me plier
sous sa loi, plutôt que d'avoir à vivre
le jour où te voici ! Il n'est pas de chagrin
qui dépasse celui d'être dépossédé
de sa patrie !

[Antistrophe II]

C'est pour l'avoir vu de mes yeux
et non sur le récit d'autrui
que j'en puis donner témoignage :
La Cité, ni nul cœur ami
n'ont eu pitié de tes épreuves
dans tes souffrances si cruelles !
Qu'il périsse, exclu de toute tendresse,
celui qui ne sait faire à ses amis
l'honneur de leur ouvrir un cœur qui soit sincère !
Pour moi, au grand jamais cet homme ne sera
de mes amis !

(Entre Égée.)

ÉGÉE. — Salut à toi, Médée ! N'est-ce pas la meilleure entrée en matière que l'on connaisse pour adresser à qui nous est cher ?

MÉDÉE. — Salut à toi de même, Égée, fils du sage Pandion. D'où viens-tu porter tes pas sur ce sol ?

ÉGÉE. — J'ai quitté l'antique sanctuaire de Phébus.

MÉDÉE. — Et pourquoi cette démarche au Nombril du monde, où le dieu chante ses oracles ?

ÉGÉE. — Pour lui demander comment avoir des enfants de ma sève.

MÉDÉE. — Dieux, est-ce possible ? Tu es sans avoir d'enfants jusqu'ici, tout au long de ta vie ?

ÉGÉE. — Je suis sans enfants. Je ne sais à quel dieu je dois ce destin.

MÉDÉE. — As-tu une épouse ? Ou es-tu étranger à la vie conjugale ?

ÉGÉE. — Je ne suis pas sans être engagé dans les liens du mariage.

MÉDÉE. — Eh bien, qu'est-ce qu'a dit Phébus au sujet de ta lignée ?

ÉGÉE. — Une réponse trop savante pour la sagacité humaine.

MÉDÉE. — M'est-il licite de connaître l'oracle du dieu ?

ÉGÉE. — Assurément : car il requiert un cerveau savant.

MÉDÉE. — Eh bien, qu'a-t-il prescrit, puisque j'ai le droit de l'entendre ?

ÉGÉE. — De ne pas délier le pied qui fait saillie sur l'outre...

MÉDÉE. — Avant d'avoir fait quoi, ou d'être arrivé sur quel sol ?

ÉGÉE. — Avant d'être de retour au foyer de mes ancêtres.

MÉDÉE. — Et qu'attends-tu de ton escale en ces lieux que voici ?

ÉGÉE. — Il y a un roi au pays de Trézène, Pitthée...

MÉDÉE. — Oui, le fils de Pélops ; un homme très religieux, dit-on.

ÉGÉE. — C'est à lui que je veux faire part de l'oracle du dieu.

MÉDÉE. — De fait, il en sait long, et il est expert en ce genre de choses.

ÉGÉE. — Et aussi le plus cher de mes alliés dans les combats.

MÉDÉE. — Eh bien ! bonne chance ! Heureux succès pour tes désirs !

ÉGÉE. — Mais pourquoi as-tu les yeux, les joues si ravagés ?

MÉDÉE *(éclatant brusquement)*. — Égée ! mon mari est le dernier des misérables !

ÉGÉE. — Que dis-tu là ? Précise un peu, explique-moi ce qui te chagrine !

MÉDÉE. — Jason me bafoue ; je n'ai pourtant pas de tort envers lui.

ÉGÉE. — Qu'a-t-il donc fait ? Explique-toi plus clairement.

MÉDÉE. — Il me remplace par une autre, pour la faire régner sur son foyer.

ÉGÉE. — Ce n'est pas possible ! Il s'est permis cette indignité ?

MÉDÉE. — Oui, sache-le. Je n'ai plus que son mépris, moi qui avais sa tendresse.

ÉGÉE. — Est-il épris d'un autre amour, ou seulement dégoûté de tes étreintes ?

MÉDÉE. — Un grand amour, oui ! qui l'a rendu infidèle à ses tendresses.

ÉGÉE. — Congé à lui, s'il est le misérable que tu dis !

MÉDÉE. — Ce dont il s'est épris, c'est de devenir le gendre d'un roi.

ÉGÉE. — Et qui lui donne sa fille ? Va jusqu'au bout, parle !

MÉDÉE. — Créon, qui gouverne ce pays de Corinthe.

ÉGÉE. — Dans ces conditions, ton affliction n'était que trop excusable, femme.

MÉDÉE. — Je suis anéantie. Et qui plus est, on me chasse d'ici.

ÉGÉE. — Qui cela ? Voilà bien encore un nouveau malheur que tu m'apprends !

MÉDÉE. — Créon me chasse de Corinthe : je suis une exilée.

ÉGÉE. — Et Jason, il le tolère ? Cela non plus ce n'est pas joli, je trouve.

MÉDÉE. — À l'entendre, non. Mais sa volonté se laisse faire une douce violence... (*Se jetant passionnément vers Égée*) Ah, je t'en prie ! vois, je touche ta joue, tes genoux, je me fais ta suppliante : pitié, pitié pour moi dans mon malheur ! Ne m'abandonne pas toi aussi, sous tes yeux, dans mon exil ! Accueille-moi dans ton pays, ta demeure, ton foyer !... À ce prix, veuille le Ciel t'exaucer, te donner les enfants que tu désires, et puisses-tu toi-même mourir comblé ! Tu ne sais sur quelle chance tu es tombé ici : oui, je mettrai fin à ta stérilité, je ferai en sorte que des enfants naissent de ta sève. Je sais des drogues pour ce genre de choses.

ÉGÉE. — J'ai bien des raisons d'être tout disposé à te rendre ce service, femme. D'abord pour l'amour des dieux ; et puis des enfants que tu promets de me faire naître – car c'est là le désir qui me met tout hors de moi. Voici donc ce que j'offre : si tu viens dans mon pays, je tâcherai de t'assurer mon patronage, dans la limite de ce qui est légitime. Une seule réserve que je te signale d'avance, femme : je ne consentirai pas à t'emmener de ce pays. Mais si, par tes seuls moyens, tu arrives chez moi, tu trouveras protection pour y rester : sois tranquille, je ne te livrerai à qui que ce soit. Ainsi, trouve toute seule à quitter ce pays : je veux être sans reproche devant mes hôtes comme devant toi.

MÉDÉE. — La condition sera remplie. Mais si j'obtenais une garantie de tes paroles... je n'en demanderais pas plus, tout serait parfait.

ÉGÉE. — Tu n'as donc pas confiance ? Qu'est-ce qui te chiffonne ?

MÉDÉE. — J'ai confiance. Mais la maison de Pélias me tient en haine, Créon aussi. Lié par un serment, tu ne me livrerais pas à ces gens-là, s'ils voulaient m'emmener hors de ton territoire. Tandis que, si je n'ai de toi qu'un accord verbal, et non un serment devant les dieux, tu te laisserais amadouer, et tu pourrais bien céder à leurs objurgations diplomatiques. Car de mon côté il n'y a que faiblesse : ils ont eux, l'opulence d'une Maison royale.

ÉGÉE. — Ce que tu dis là, femme, dénote beaucoup de prévoyance ! Mais soit, si tu y tiens, ainsi ferai-je : je ne me récuse pas. Pour moi, c'est la plus sûre défense, d'avoir une excuse dirimante à faire valoir à tes ennemis ; et ta cause en sera mieux appuyée. Désigne les dieux que tu choisis.

MÉDÉE. — Jure, par le sol de la Terre, et par le Soleil, père de mon père, et puis en convoquant toute la race des dieux...

ÉGÉE. — Que je ferai, ou que je ne ferai pas... Achève ?

MÉDÉE. — Que toi-même tu ne me chasseras jamais de ton sol, et qu'à nul autre, si tel de mes ennemis entend m'en arracher, tu ne me livreras volontairement, toi vivant.

ÉGÉE. — Je jure, par la Terre, par le très pur et sacro-saint Soleil, et par tous les dieux, de me tenir fermement à ce que tu me dictes.

MÉDÉE. — Il suffit. Mais ce serment, si tu ne le tenais pas, que fais-tu vœu d'avoir à subir ?

ÉGÉE. — Ce qui arrive ici-bas aux impies.

MÉDÉE. — Tu peux aller ; bonne route ! Tout est bien. De mon côté j'arriverai dans ta cité dès que possible, quand j'aurai fait ce que j'ai à faire, et obtenu ce que je veux.

LE CORYPHÉE. — Eh bien, que le Seigneur de Bonne-Escorte, que le fils de Maïa te ramène chez toi. Et ce dont le souci te presse, puisses-tu l'obtenir et le voir accompli. Car d'un homme de cœur, Égée, tu viens de me donner l'image.

(Égée sort.)

MÉDÉE. — Ô Zeus ! ô Justice, fille de Zeus ! ô lumière du Soleil ! Maintenant va nous illuminer, amies, le triomphe sur mes ennemis ! Nous voici en chemin. Maintenant j'ai bon espoir que mes ennemis paieront leur juste dette ! Cet homme, dans la ligne même où était pour moi le pire écueil, est apparu comme havre de salut pour que je mène ma barque comme je l'entends : c'est à ce bossoir-là que je jetterai l'ancre arrivée dans la ville qui est la citadelle de Pallas. À présent, tous mes projets, je vais vous les dire, et ce ne seront pas là paroles lancées pour le plaisir !

Je vais envoyer quelqu'un de ma maison pour demander à Jason de venir pour une entrevue avec moi. Et quand il se présentera, je lui dirai des phrases lénifiantes : que je me range à son avis, que c'est très bien ainsi, que ses décisions sont salutaires et judicieuses... Mais je lui demanderai que mes enfants restent ici. Non pas qu'il soit question pour moi de les abandonner en terre ennemie, mais pour tendre un piège à la fille du roi, et la tuer. Oui, je les enverrai, les mains chargées de cadeaux qu'ils offriront à la jeune mariée pour obtenir de n'être point bannis : un voile délicat et un diadème d'or ouvragé. Qu'elle prenne seulement ces parures et les mette, au contact de sa peau, et ce sera une mort atroce pour la donzelle, et pour quiconque la touchera : tel est l'effet des poisons dont je tremperai ces présents !

Mais ici mon propos change d'accent... Quel crève-cœur, l'acte qu'il me faut accomplir ensuite : ces enfants, je les tuerai, oui, les miens ! Il n'est personne au monde qui puisse les y soustraire. Et quand j'aurai saccagé de fond en comble le foyer de Jason, je quitterai le pays. Mon exil sera celui d'une mère qui a tué ceux qu'elle aimait le plus, et assumé le poids du plus abominable des crimes. Car ce qui est, amies, d'un poids intolérable c'est de prêter à rire à qui nous veut du mal !

À dieu vat ! Que leur servirait de vivre ? Je n'ai pour eux ni patrie, ni maison, ni recours qui puisse écarter le malheur. Coupable, je sais bien quand je le fus : le jour où j'ai déserté le foyer paternel, conquise par les paroles d'un Grec... un homme qui va payer (plaise au Ciel !) le juste prix de sa conduite. Les enfants qu'il a eus de moi, jamais plus il ne les verra – vivants. Et ce n'est pas sa nouvelle épouse qui lui en donnera aucun, vouée qu'elle est, la misérable, à la mort misérable que lui réservent mes poisons... Que nul n'aille voir en moi une femme veule, sans énergie, de tout repos ; c'est l'opposé de mon caractère : dévouée aux amis, mais âpre aux ennemis ! La vie la plus illustre est pour de telles âmes !

Le Coryphée. — Puisque tu nous as fait part de ce que tu proposes là, je veux te servir contre toi-même, et prêter aussi appui aux lois des hommes en te disant : non, ne fais pas cela !

Médée. — Je n'ai pas d'autre choix. Mais je te pardonne de parler de la sorte : tu n'es pas victime des mêmes horreurs que moi.

Le Coryphée. — Ainsi tu ne reculeras pas à tuer ce qui est né de toi, femme ?

MÉDÉE. — Non : c'est ce qui pourra mieux que tout ulcérer mon mari.

LE CORYPHÉE. — Mais de toi faire la dernière des malheureuses !

MÉDÉE. — Vienne que vienne ! Toute parole est de trop qui me barre le chemin. (*À la Nourrice*) Allons, va, et fais venir Jason. Pour mes missions de confiance, c'est toujours toi que j'utilise. Et ne révèle rien de ce que j'ai décidé, si tu veux servir les intérêts de ta maîtresse, et si tu es fidèle à ton sexe.

(La Nourrice sort.)

LE CHŒUR. [Strophe I]
Favorisés du sort, de toute antiquité,
les enfants d'Érechthée !
Fils des dieux bienheureux,
issus d'un sol béni que nul n'a dévasté,
forts d'un lait de Sagesse
entre tous glorieux,
dans la grâce ils marchent sans cesse
en respirant un air entre tous radieux,
là où les neuf Piérides, jadis
les muses saintes, on le dit,
posèrent le berceau de la blonde Harmonie.

[Antistrophe I]
Cypris, aux belles eaux que roule le Céphise,
nous est-il conté, puise
pour baigner leur royaume
de souffles tempérés, douce haleine des brises.
Ses cheveux elle tresse
de roses qui embaument
et, couronnée de fleurs, ne cesse
de faire environner le trône de Sagesse
par les essaims des Amours – ceux qui viennent
donner leur aide souveraine
à toute œuvre de bien, quel qu'en soit le domaine.

[Strophe II]
Comment la Cité des rivières saintes,
comment le pays en qui ses amis
trouvent tels honneurs d'hospitalité
te recevront-ils, mère meurtrière ?
De ton sacrilège accepteront-ils
la contagion ? Songe sous quel coup
vont périr tes fils ! Songe de quel meurtre
tu te charges là ! Non, à tes genoux,

par tous les recours, de toutes nos forces,
nous t'en supplions :
ne tue point tes fils !

[Antistrophe II]

Le courage affreux de porter au cœur
de tes deux enfants ce coup forcené,
où le trouveront ton âme et ton bras ?
Ayant sous les yeux ces pauvres petits,
Dis, sauras-tu bien ne pas fondre en larmes
avant d'assumer cet assassinat ?
En voyant tes fils tomber à tes pieds
pour te supplier, tu ne pourras pas
te plonger les mains dans ce bain de sang
avec cette rage
prête à tout oser !

(Entre Jason, suivi de la Nourrice.)

JASON. — Tu m'as appelé : me voici. Si hargneuse sois-tu, il y a du moins cela qui ne te sera pas refusé : je suis disposé à entendre quelle nouvelle faveur tu veux de moi, femme.

MÉDÉE. — Jason, je t'en prie, pardonne-moi ce que je t'ai dit. Tu peux bien admettre mes moments d'humeur, en souvenir des mille tendresses que nous nous sommes faites... Je me suis raisonnée en mon for intérieur, et réprimandée : « Malheureuse ! quelle folle je suis ! Je veux du mal à des gens qui décident fort bien ? Je me dresse, haineuse, contre les souverains de ce pays, contre mon mari, qui agit au mieux de nos intérêts en épousant une princesse, en préparant à mes enfants de petits frères ? Ne réussirai-je pas à désarmer ma colère ? Quel état d'âme est le mien, quand les dieux ménagent si bien les choses ! Oublierais-je que j'ai des enfants, et que nous sommes ici exilés d'un autre sol, et n'avons guère d'amis ? » Voilà les réflexions que j'ai faites, et je me suis rendu compte que j'étais une grande écervelée, et que ma colère était sans objet. À présent donc je t'approuve, je pense que tu es bien avisé d'avoir noué, pour nous, cette autre alliance ; et que moi, j'étais folle : j'aurais dû prendre ma part de ces desseins, t'aider à les mener à bien, me montrer attentive à votre chevet, et trouver plaisir à rendre mes soins à ta jeune épouse...

Mais nous sommes... ce que nous sommes (je me fais grâce d'un mot malsonnant) : une femme... Tu ne devais donc pas m'imiter dans mes faiblesses, et donner réplique en étourdi à des propos d'étourdie. Je m'incline : j'avoue que je n'étais pas raisonnable tout à l'heure. Mais maintenant, vois-tu, j'ai de meilleures résolutions.

(Se tournant vers la maison et appelant) Enfants ! enfants ! venez, ne restez pas à la maison, sortez pour embrasser avec moi votre père et lui rendre vos devoirs. Joignez-vous à votre mère pour renoncer à vouloir encore du mal à qui nous veut du bien. La paix est faite entre nous, et la rancune est effacée. *(Paraissent les enfants avec leur Gouverneur.)* Prenez sa main droite... Hélas ! quelle obsession j'éprouve de quelque malheur qui se cache !... Serez-vous encore longtemps en vie, mes petits, pour tendre ainsi vos bras chéris ? Malheureuse que je suis, comme j'ai les larmes aux yeux, et quel comble d'angoisse ! Au moment où je me réconcilie enfin avec votre père, mon regard s'attendrit, et il est tout baigné de pleurs...

LE CORYPHÉE. — Mes yeux sont envahis aussi d'un flot de pleurs... J'ai peur que ce malheur n'aille encore bien plus loin !

JASON. — J'applaudis au langage que tu tiens, femme, et je ne t'en veux pas de celui que tu as tenu : il est bien naturel au sexe faible, quand l'époux négocie ailleurs une autre union, d'en prendre ombrage. Mais ton cœur est dans le vrai, avec ce revirement : tu as reconnu (tu y as mis le temps) le parti qui doit prévaloir ; c'est agir en femme raisonnable.

Quant à vous, enfants, votre père n'est pas une tête folle : il a ménagé pour vous, s'il plaît aux dieux, une solide sauvegarde. Et je compte bien qu'en ce pays de Corinthe, vous serez les sommités, un jour, avec vos frères. Vous n'avez qu'à grandir : le reste est l'affaire de votre père, et du bon vouloir que les dieux peuvent avoir. Qu'il me soit donné de vous voir prospérer, atteindre l'épanouissement de votre jeune vie, pour dominer mes ennemis ! *(S'apercevant que Médée redouble de sanglots)* Mais toi, voyons, pourquoi ce flot de larmes qui baignent tes yeux ? cette joue que tu détournes, blanche comme un linge, au lieu d'accueillir avec joie mes paroles ?

MÉDÉE. — Ce n'est rien... Je pensais à ces enfants.

JASON. — Ces enfants ? pourquoi donc te lamenter sur eux plus qu'il ne faut ?

MÉDÉE. — Ils sont sortis de mon sein ! et quand tu faisais des vœux pour leur vie, mon cœur s'est serré tout à coup : leur avenir sera-t-il celui-là ?

JASON. — Ne te tracasse pas : j'arrangerai fort bien les choses pour eux.

MÉDÉE. — Soit. Je ne vais pas mettre en doute tes paroles... *(Avec un pauvre sourire forcé)* C'est qu'une femme vois-tu, ça n'a pas le cœur mâle... Cela a la larme facile... *(Se reprenant)* Mais revenons aux choses que je voulais te dire en te faisant venir. Pour les unes, c'est fait ; mais pour les autres, je vais te dire mon idée. Par décision du trône, je suis bannie – et pour moi c'est le mieux, je le conçois fort bien, de ne pas vous encombrer, toi et le pouvoir royal, en demeurant ici, puisque je suis considérée comme hostile à cette Maison. Donc, je romps mes attaches avec ce pays, je m'exile. Mais les enfants ?... Pour qu'ils soient élevés sous ton aile, demande à Créon de ne pas les frapper d'exil !

JASON. — Je ne suis pas sûr de le convaincre ; j'essaierai pourtant : je le dois.

MÉDÉE. — Mais tu as ta femme. Dis-lui plutôt à elle de présenter la demande.

JASON. — Excellente idée : je me fais fort de la convaincre, moi.

MÉDÉE. — Certes, si c'est une femme comme les autres femmes. Au reste, je t'aiderai moi aussi dans cet effort. Je vais lui envoyer des présents : des merveilles qui passent, et de loin crois-moi, tout ce qu'on voit par le monde à l'heure qu'il est. Les enfants les lui porteront. (*Se tournant vers la Nourrice qui va aussitôt transmettre son ordre*) Allons, au plus vite, il faut qu'une de mes servantes apporte ici la parure ! (*À Jason*) Un bonheur ne viendra pas seul pour elle, il sera multiplié : elle a vu, en ta personne, un homme qui a tous les mérites venir partager son lit, et elle possédera une parure dont le Soleil, père de mon père, a fait don jadis à sa lignée !

> (*Une servante sort de la maison, portant avec respect le voile et la couronne. Médée les prend et les confie aux enfants.*)

Prenez ces cadeaux de noces, enfants, et allez les porter de vos mains à la princesse – cette jeune épouse que cela va mettre au paradis – pour les lui offrir. Ce n'est pas un de ces présents dont on se moque qu'elle va recevoir là !

JASON. — Tu es folle ? Pourquoi ce geste, qui te laisse les mains vides ? Penses-tu qu'il y ait pénurie d'atours dans les coffres royaux, et pénurie d'or ? Garde cela, ne le donne pas ! Je ne compte pas pour rien, j'imagine, aux yeux de ma femme ; tes trésors ne seront rien pour elle au prix de moi – sûr et certain, tu peux m'en croire !

MÉDÉE. — Ne dis pas cela ! « À des cadeaux cèdent les dieux eux-mêmes ! » c'est le proverbe. Et sur les humains « l'or a plus de pouvoir que n'en ont cent discours ! » C'est d'elle que dépend notre chance, c'est elle dont l'étoile monte à présent, elle est jeune, elle est reine... Et puis, faire échapper mes fils à l'exil, je paierais cela de ma vie, non pas seulement de mon or. (*Poussant fébrilement les enfants vers l'entrée du palais)* Allons, enfants, entrez dans cette demeure d'opulence, chez la nouvelle épouse de votre père, chez celle dont je suis la servante. Suppliez-la de n'avoir pas à quitter le pays, implorez-la en lui offrant cette parure. Oui, ce qu'il faut surtout, c'est qu'elle reçoive mon cadeau en mains propres. Allez bien vite ! Si vous pouviez, pour ce que votre mère désire passionnément, réussir, et lui en apporter la bonne nouvelle !

(Les enfants sortent, suivis de leur Gouverneur et de Jason.)

LE CHŒUR.   [Strophe I]

> *À présent, je n'ai plus d'espoir*
> *de voir survivre ces enfants...*
> *Ils marchent déjà vers le meurtre.*
> *Car l'épousée va faire accueil,*
> *un bel accueil, l'infortunée,*
> *à ce fatal présent du diadème d'or.*
> *Elle-même, autour de ses cheveux blonds,*
> *elle va poser, de ses propres mains*
> *la parure infernale.*

[Antistrophe I]

> *L'éclat surnaturel, la grâce*
> *de ce voile et de la couronne,*
> *ce joyau d'or, l'inciteront*
> *à s'en coiffer. Mais sa toilette*
> *de mariée, ah ! c'est sous terre*
> *qu'elle la portera ! Tel est le traquenard,*
> *le destin de mort où va trébucher*
> *cette infortunée : au piège fatal*
> *elle n'échappera !*

[Strophe II]

> *Et toi, le malheureux, toi, traître à ton foyer,*
> *toi qui sus obtenir la main de la princesse,*
> *sur la vie de tes fils, sans savoir, tu attires*
> *ce qui va les perdre, et sur ton épouse*
> *une atroce mort ! Comme tu te leurres*
> *sur ce qui t'attend, pauvre infortuné !*

[Antistrophe II]

> *Mais je dédie aussi ma plainte à ta douleur,*
> *mère, dont le malheur fait celui de ses fils,*
> *toi qui vas égorger tes enfants pour venger*
> *ton lit conjugal que, sans foi ni loi,*
> *ton mari déserte, allant partager*
> *les jours et les nuits d'une autre compagne...*

(Le Gouverneur revient avec les enfants.)

LE GOUVERNEUR. — Maîtresse, voici tes enfants. On leur a fait grâce de l'exil, et la princesse royale a reçu avec joie entre ses mains tes cadeaux. C'est la paix, de ce côté-là, pour tes fils... Mais quoi ? Pourquoi restes-tu là clouée, les traits décomposés, quand tout va bien pour toi ?

MÉDÉE. — Hélas !

LE GOUVERNEUR. — Voilà qui n'est pas en accord avec la nouvelle que je t'apporte !

MÉDÉE. — Hélas ! deux fois hélas !

LE GOUVERNEUR. — Est-ce donc quelque malheur que je t'annonce sans le savoir ? Est-ce par erreur que je me suis cru messager de bonne nouvelle ?

MÉDÉE. — Ton message est ton message. Ce n'est pas à toi que j'en ai.

LE GOUVERNEUR. — Alors, pourquoi ce regard fiché au sol, ces larmes que tu verses ?

MÉDÉE. — C'est une lourde fatalité, vieil homme... Oui, tel est l'ouvrage des dieux – et le mien, dans mon égarement qui a été l'artisan de tout.

LE GOUVERNEUR. — Courage ! Tes enfants te feront retrouver un jour ici une patrie à toi aussi !

MÉDÉE. — Il en est d'autres auparavant qui trouveront par moi une patrie, malheureuse que je suis !

LE GOUVERNEUR. — Voyons, tu n'es pas la seule qu'on ait séparée de ses enfants. Il faut en ce bas monde avoir du ressort contre les adversités !

MÉDÉE (*se ressaisissant*). — J'en aurai. Allons rentre au logis, et veille à ce que les enfants aient ce qu'il faut, comme les autres jours.

(Le Gouverneur se retire, laissant les enfants.)

Ô mes petits, mes petits, une patrie vous est assurée à vous, une demeure où, arrachés à votre pauvre mère, vous habiterez pour toujours quand vous m'aurez quittée ! Mais moi, sur un sol étranger je m'en irai en fugitive, avant d'avoir pu recevoir vos soins, reposer mes yeux sur votre bonheur, vous procurer des épouses, préparer votre lit conjugal et tenir bien haut le flambeau de vos noces ! Hélas ! j'aurai été victime de mon amour-propre forcené ! C'est donc pour rien, mes petits, que je vous ai nourris et fait grandir, pour rien que j'ai peiné, que je me suis usée, que j'ai enduré si âpres douleurs en vous mettant au monde ! Ah ! naguère, j'en porte témoignage du fond de mon malheur, je faisais reposer sur vous tant d'espérances ! pour ma vieillesse que vous nourririez, pour ma mort que vos mains honoreraient de dignes obsèques – sort enviable pour les humains... À néant aujourd'hui ces douces pensées ! Dépossédée de vous je traînerai une vie de chagrin en portant votre deuil. Et votre mère, vos yeux chéris ne la verront plus : vous serez entrés, loin de moi, dans une autre existence !... Hélas ! pourquoi levez-vous sur moi vos regards, mes petits ? pourquoi me souriez-vous ainsi – votre dernier sourire ? Ah ! que faire ? *(Se retournant, éperdue, vers le Chœur)* Le cœur me manque, amies, en voyant le regard radieux de ces petits ! Non, je ne pourrai pas... Adieu la résolution que j'avais prise : j'emmènerai ces enfants hors d'ici, ils sont à moi ! Faut-il pour accabler le père par le malheur de ses fils, me rendre moi-même doublement malheureuse ? Non, je ne ferai pas cela ! Adieu mes résolutions !...

Mais quoi ? Où en suis-je ? M'offrir en cible aux risées, est-ce là ce que je veux, en laissant échapper à leur châtiment mes ennemis ? Ce que j'ai dit, je l'oserai, il le faut. Ah ! quelle lâcheté je montre, rien qu'à entrouvrir mon âme à des idées d'accommodement ! Rentrez à la maison, mes enfants *(Les deux enfants se retirent.)* Celui à qui sa conscience interdit d'assister au sacrifice que je vais accomplir, à lui d'aviser ! Ma main sera sans défaillance.

... Oh ! non ! non !... Ô rancune qui me tiens, ne m'inflige pas cette horreur ! Laisse-les, épargne ces petits, malheureuse ! Même s'ils restent en vie loin de moi, ne seras-tu pas satisfaite ?... Mais non ! j'en atteste les Génies infernaux, les Vengeurs d'outre-tombe, il ne sera pas dit, jamais, que moi, à mes ennemis je livrerai mes propres enfants pour qu'ils subissent leurs représailles ! De toute façon, le sort en est jeté, et elle n'échappera point : le diadème au front, drapée du voile, la royale épousée se meurt, c'est très sûr, je le sais... Eh bien, puisque je vais m'engager dans la voie la plus atroce, je veux adresser encore un mot à mes fils. *(La Nourrice se précipite dans la maison ; les enfants reviennent.)* Mes petits ! Donnez-moi, donnez aux baisers de votre maman la main droite ! Ô menottes chéries ! ô lèvres chéries ! traits et maintien de bonne race ! ô mes petits, que le bonheur vous soit donné au moins là-bas ! Ici, votre père vous a tout enlevé. Ô douce étreinte ! ô tendre chair ! ô souffle qui me charmait le cœur ! mes petits ! Ah ! rentrez, rentrez vite, je n'ai plus la force de soutenir votre vue, je ne l'ai plus ! *(Les enfants rentrent dans la maison.)* Je succombe à mes maux... Je sais de quels malheurs je vais être coupable. Mais en moi les avis du sang-froid sont vaincus par le ressentiment, dont naissent ici-bas les plus affreux malheurs !

LE CORYPHÉE. — Souvent déjà je me suis risquée en des débats plus délicats à des controverses plus graves qu'il ne convient au sexe faible de se montrer intéressé. C'est que nous avons, nous aussi, pour nous éclairer de sagesse, une inspiration qui vient nous visiter – toutes ? non pas ! Le cas est rare chez les femmes (on en trouve une sur cent peut-être) d'un esprit auquel ne soit pas refusé le don de lumière.

Eh bien, je vous le dis : quiconque, en ce bas monde, ignore absolument ce que c'est que donner la vie à des enfants est plus favorisé, pour atteindre au bonheur, que s'il en avait eu. S'il est sans descendance, un être ignorera l'angoisse de savoir si c'est joie ou chagrin que d'avoir des enfants : ici-bas le destin en nous les refusant écarte bien des peines. Mais ceux qui voient fleurir au sein de leur foyer une douce lignée, ils sont à tout moment harcelés de soucis : comment faire, d'abord, pour les bien élever ? où trouver les ressources à leur laisser pour vivre ? Et puis, en fin de compte, le champ, pour tant de peine, sera-t-il généreux ou ingrat ? ils ne savent. Et je vais dénoncer un ultime malheur qui guette tous les hommes. Soit, ils se sont acquis ressources suffisantes ; les enfants ont atteint à leur maturité, ont été sans reproche si c'est le bon plaisir du destin, le Trépas prend leurs corps pleins de vie, et le voilà parti, les livrant à l'Hadès ! Quel avantage alors est-ce pour les mortels, si pour avoir voulu des enfants, ils se vouent à voir le Ciel, en plus de leurs autres misères, leur infliger encore ce crève-cœur affreux ?

MÉDÉE. — Le temps passe, mes amies, et je reste en attente de l'événement, à l'affût de la façon dont les choses vont tourner là-bas... Mais voici ! j'aperçois quelqu'un ; il est de l'entourage de Jason, il approche, il suffoque, hors de souffle ; on voit qu'il va annoncer quelque malheur inouï.

LE MESSAGER. — Ah ! quel affreux, quel criminel ouvrage est le tien, Médée ! Fuis ! fuis ! n'écarte aucun moyen, cingle par voie de mer ! fouette par voie de terre !

MÉDÉE. — Qu'arrive-t-il donc, qui mérite que je m'enfuie ainsi ?

LE MESSAGER. — La mort, à l'instant, de la princesse et de son père Créon, sous l'effet de tes poisons !

MÉDÉE. — La merveilleuse chose que tu dis là ! Tu seras dorénavant de ceux qui ont toute ma gratitude et mon affection.

LE MESSAGER. — Que dis-tu ? As-tu ton bon sens ? Tu n'es pas folle, malheureuse ? Tu as dévasté le foyer de nos rois, et une nouvelle pareille te met en liesse, au lieu de t'épouvanter ?

MÉDÉE. — J'aurais à dire, de mon côté, pour répliquer à ce que tu me lances là. Mais ne prends pas le mors aux dents, mon ami. Raconte plutôt : comment ont-ils péri ? Tu me feras double plaisir, si leur mort a été le comble de l'horreur !

LE MESSAGER. — Quand tes fils – double fruit de ta maternité – précédés de leur père entrèrent au logis des nouveaux mariés, nous fûmes dans la joie, nous tous les serviteurs que désolaient tes peines. À travers la maison bien vite une rumeur s'étend : la paix est faite ! la brouille de naguère, née entre ton mari et toi, c'est du passé ! Et l'un baisait la main, l'autre la tête blonde des enfants. Et moi-même, j'en avais tant de joie que je suivis tes fils jusqu'aux chambres des femmes. Et là, notre maîtresse – celle qui te succède en nos humbles hommages – avant de voir tes fils qui s'avançaient de front, attachait sur Jason un tendre et chaud regard. Mais ensuite, soudain, elle cache ses yeux et détourne en arrière sa joue au teint de lys : car l'entrée de tes fils lui cause un haut-le-cœur. Ton mari essayait d'effacer ce courroux, dépit de jeune femme, lui disant : « Veux-tu bien ne pas montrer de hargne à des têtes si chères ? Apaise ton humeur, et fais-leur ton visage ! Tiens-les chers à ton cœur, les êtres qui le sont à ton mari. Ces dons, fais-leur un bon accueil, et demande à ton père de faire à ces enfants grâce de leur exil, par amour pour moi ! » Elle, en voyant la parure, elle capitula, donna son agrément à son mari pour tout.

Tes enfants et leur père à peine s'éloignaient, qu'elle prend, sans attendre, le voile chatoyant, elle s'en enveloppe, et, posant sur ses boucles le diadème d'or, devant un clair miroir met ordre à ses cheveux, et salue en riant ce fantôme sans corps de sa forme vivante. Ensuite, se levant du trône, elle traverse tout son appartement : élégante démarche, et pied blanc comme neige... Ces présents la ravissent – et encore et encore d'admirer ses talons, se dressant sur les pointes...

Mais alors, tout à coup, il s'offrit à nos yeux un horrible spectacle : son teint se décompose, on la voit vaciller, revenir en arrière, les membres grelottants, trouver le temps à peine de tomber sur son siège pour ne point choir au sol... Une vieille servante, imaginant sans doute que c'est là quelque accès envoyé par les dieux, crise panique ou autre, lance les cris stridents de l'exorcisme. Hélas ! elle a tôt fait de voir un flux d'écume blanche couler entre ses dents, les prunelles des yeux se révulser, le sang n'irriguer plus la peau. Changeant alors d'accent, à son cri rituel elle fait succéder de grands sanglots de deuil. Aussitôt, l'une court jusqu'au palais du père, et l'autre à la recherche de celui qu'elle vient d'épouser, pour lui dire l'accident qui la frappe. Et la maison entière, en tous sens résonnait de mille pas hâtifs. Le temps qu'un bon marcheur rapide eût parcouru, d'un train vif, deux cents pas à peine – et la victime, en sortant de la nuit qui bâillonnait ses yeux, avec un hurlement terrible se réveille. Elle était assaillie par un double supplice : de la couronne d'or qui enserrait sa tête déferlaient, ô prodige ! des flammes dévorantes ; et le voile léger offert par tes enfants rongeait la chair si blanche de cette infortunée... Bondissant de son siège, elle fuit, torche ardente, et secoue ses cheveux, sa tête, d'un côté, de l'autre : elle voulait arracher la couronne, mais l'or restait soudé, de griffes inflexibles : plus elle secouait les cheveux, plus le feu redoublait, fulgurant...

Elle s'écroule au sol, succombant au destin. Seul le regard d'un père eût su la reconnaître, car on ne pouvait plus retrouver ni les traits dont s'encadraient ses yeux, ni son charmant visage. De sa tête le sang dévalait goutte à goutte, grésillant dans la flamme ; se détachant des os ses chairs fondaient, coulaient sous la dent invisible du poison, comme larmes sur l'écorce d'un pin. Quel horrible spectacle ! Nul n'osait, par terreur, toucher à son cadavre : ce qu'elle avait subi nous instruisait assez...

Le père infortuné, qui ne savait encore le dénouement fatal, pénètre tout à coup dans la salle ; il se jette sur la morte, il éclate aussitôt en sanglots, embrasse sa dépouille, la couvre de baisers. Il lui parle, il lui dit : « Ô malheureuse enfant, quel dieu t'a fait périr de cette indigne fin ? Qui donc m'aura sevré de ta présence, moi, un vieillard qui déjà porte la mort en lui ? Ah ! je voudrais ne pas te survivre, ma fille ! » Interrompant sa plainte et ses gémissements, il voulut redresser son vieux corps, mais voici qu'au voile délicat il restait attaché, comme lierre noué aux pousses d'un laurier. La lutte fut atroce : lui, pour se redresser s'arc-boutait du genou ; elle, c'était ventouse qui ne le lâchait point. Chaque effort pour tirer lacérait, arrachait des os ses vieilles chairs... Enfin il renonça, et, victime du sort, rendit son dernier souffle : il n'avait plus la force de triompher du mal...

Ils gisent : deux cadavres, la fille et son vieux père, côte à côte... Ô désastre où toute soif de pleurs peut venir s'étancher !

Ce qui t'attend, toi – dispense-moi d'en parler. Tu apprendras bien toute seule que sur le crime retombe la punition. Mais les choses humaines, ce n'est pas d'aujourd'hui que je les tiens pour fumée ; et je ne craindrais pas d'affirmer que ceux qui passent ici-bas pour habiles, et grands brasseurs de profonds calculs, ce sont eux qui sont le plus lourdement punis. En ce monde, le bonheur n'est pour personne : par le flot des prospérités, l'un peut bien avoir plus de chance que l'autre – mais le bonheur ? non pas.

LE CORYPHÉE. — Je vois que le Ciel inflige aujourd'hui à Jason bien des malheurs : il les mérite. Mais toi, fille de Créon, quelle compassion j'ai de ton triste destin, infortunée, toi qui es partie vers les portes de l'Enfer, pour avoir épousé Jason !

MÉDÉE. — Amies, la chose est résolue : au plus vite, tuer mes fils, et m'éloigner de ce pays ! Il n'est pas question de tergiverser ; ce serait livrer mes enfants à périr sous les coups de la haine : moi, au moins, je ne les hais pas... De toute façon, leur mort est inévitable : puisqu'il le faut, c'est moi qui les tuerai, moi qui leur ai donné la vie. Allons, oui, arme-toi mon cœur ! Que tardons-nous ? Un acte terrible, mais inévitable, c'est lâcheté de ne pas l'accomplir. Allons, ma main, ma misérable main, prends le poignard, prends ! Va, et ouvre-toi le seuil d'une vie de larmes ! Pas de lâcheté ! Ces enfants, ne pense point à eux comme aux plus chers trésors de ton cœur, au fruit de tes entrailles ; pour un instant du moins, pour aujourd'hui, oublie ta maternité : tu pleureras ensuite... Car tu vas les tuer, bien sûr, mais ils furent ton cher trésor... Malédiction sur moi, pauvre femme !

(Elle entre dans la maison.)

LE CHŒUR.   [Strophe I]
Ô Terre ! et toi, Soleil, prunelle éblouissante,
alerte ! alerte à cette femme abominable !
devance le coup dont sa main sanglante
va frapper ses fils, oui, sa propre chair !
Ils descendent de Toi, ils portent l'auréole
d'être de ton lignage ! Ah ! que le sang d'un dieu
d'intérêts tout humains puisse être la victime,
c'est une pensée d'épouvante !
Va, flambeau divin, fils de Zeus,
arrête-la, empêche-la, détourne-la
de la maison, cette sanglante,
cette misérable Érinys
que les Génies du mal ont suscitée !

[Antistrophe I]
À néant sont allées tes peines maternelles,
à néant, oui, le fruit chéri de tes entrailles,
toi qui as laissé derrière ta nef
le double écueil bleu des Roches-qui-heurtent,
ce passage farouche à tous ceux qui l'abordent...
Malheureuse, pourquoi ton cœur est-il saisi

de cette affreuse rage, où ne trouvent plus place
que noires pensées de massacre ?
Elle coûte cher ici-bas,
la souillure d'avoir versé le sang des siens :
le Ciel déclenche et précipite
sur la maison des assassins,
en juste écho du crime, la douleur !

(On entend des cris d'enfants épouvantés,
provenant de la maison.)

LE CHŒUR.   [Strophe II]
Entends-tu ? entends ce cri... les enfants !
Las ! la misérable !... femme infortunée !...
LA VOIX D'UN ENFANT.
Oh ! que faire ? où puis-je échapper
aux coups de ma mère ?
LA VOIX DU SECOND ENFANT.
Je ne sais, frère bien-aimé...
Nous sommes perdus !
LE CHŒUR.
Dois-je entrer dans la maison,
sauver les enfants du meurtre ?
C'est ce que mon cœur me dicte...
LA VOIX DU PREMIER ENFANT.
Au nom des dieux, oui, venez nous sauver !...
Il le faut, et le temps presse !
LA VOIX DU SECOND ENFANT.
C'est que déjà se referme le piège,
et le couteau nous approche !...

(Un long silence.
On comprend que les enfants sont morts.)

LE CHŒUR.
Malheureuse ! tu avais donc
un cœur de fer, ou de rocher
pour vouer tes enfants
à ce fatal destin, et faucher de ta main
ces épis nés de ton sillon ?
(Par voix alternées)   [Antistrophe II]
— Seule, seule une autre a jadis, dit-on,
frappé d'un tel coup ses enfants chéris...
— ... Ino : les dieux l'ont rendue folle
quand, loin de son toit,
l'épouse de Zeus l'eut chassée
au long des chemins.

> — ... *Aux flots amers se jeta*
> *l'infortunée, infligeant*
> *mort impie à ses enfants...*
> — ... *Elle franchit d'un élan le rebord*
> *qui surplombait la mer*
> *et entraîna ses deux fils au trépas*
> *périssant avec eux...*
> — ... *Après cela, que pourrait-il*
> *arriver encore d'inouï ?*
> *Ô drames de l'alcôve*
> *dans les cœurs féminins, que de malheurs déjà*
> *vous avez causés ici-bas !*

(Entre Jason.)

JASON. — Femmes, vous qui êtes postées au seuil de cette demeure, dites-moi, est-ce qu'elle s'y trouve encore, celle qui a commis ce crime atroce, Médée ? Ou bien est-elle partie, a-t-elle pris la fuite ? Il faudrait qu'elle fût allée se cacher sous terre, ou se fût élevée à tire-d'aile jusqu'au fond du firmament, pour que le châtiment de son régicide ne l'atteignît point ! Se flatte-t-elle, après avoir assassiné ceux qui étaient ici sur le trône, de s'en tirer personnellement sans dommage en s'enfuyant loin de ce toit ?... Mais ce n'est pas tellement d'elle que j'ai souci : c'est des enfants ! Elle, ses victimes sauront bien lui rendre le mal pour le mal ! Mais sauver la vie de mes enfants, voilà pourquoi je suis venu. J'ai peur que la famille princière n'exerce sur eux des représailles en rançon de l'attentat abominable de leur mère...

LE CORYPHÉE. — Infortuné ! Tu ne sais pas jusqu'où vont tes malheurs, Jason ! Sans quoi tu n'aurais pas parlé de la sorte...

JASON. — Quoi donc ? Veut-elle par hasard me tuer moi aussi ?

LE CORYPHÉE. — Tes fils sont morts, et c'est leur mère qui les a frappés.

JASON. — Malheur à moi ! Que viens-tu dire ? Quel coup fatal tu me portes, femme !

LE CORYPHÉE. — Tes enfants ne sont plus. C'est à d'autres soucis que tu dois penser pour eux.

JASON. — Où les a-t-elle tués ? Dans la maison, ou dehors ?

LE CORYPHÉE. — Ouvre les portes : tu verras tes enfants – massacrés.

JASON *(appelant à l'aide et se précipitant lui-même furieusement sur la porte fermée qu'il essaie d'enfoncer)*. — Holà, mes gens, tirez les barres au plus vite ! Déverrouillez les vantaux,

que je voie cette double horreur : eux, les victimes, et elle...
que je fasse justice sur elle !

> *(Au-dessus de la maison, dont la porte reste close, on voit*
> *s'élever un char volant, attelé de dragons ailés. Il s'arrête en*
> *planant, hors d'atteinte. Médée s'y trouve debout, ayant à ses*
> *pieds les corps de ses deux enfants.)*

MÉDÉE. — Pourquoi ébranles-tu ces portes et prétends-tu
les faire sauter ? Tu cherches deux cadavres, et moi qui les ai
faits ? Cesse de te donner cette peine. Si c'est de moi que tu
es en quête, parle tout à ta guise. Mais ta main ne me touchera
pas, jamais. Telle est la grâce que je dois au Soleil père de
mon père : ce char, rempart contre toute atteinte ennemie.

JASON. — Monstre ! femme plus qu'aucune autre exécrable
aux dieux et à moi, et au genre humain tout entier ! Toi qui
as osé poignarder tes enfants, toi leur mère, et qui me tues
moi-même en me les arrachant ! Tu as fait cela, et tu gardes
les yeux ouverts sur le soleil et sur la terre, après avoir osé
braver par ce forfait les lois les plus sacrées ? À mort !...

Ah ! je vois clair à présent ; c'est le jour où je t'ai emmenée
loin de chez toi que j'étais aveuglé, où je t'ai fait quitter ton
pays barbare pour un foyer grec, cruel serpent ! toi qui avais
trahi ton père et la patrie qui t'a nourrie ! Le noir démon qui
te tenait, c'est sur moi que les dieux l'ont lâché : n'avais-tu pas,
à ton foyer, tué ton frère, quand tu es montée sur la noble proue
de la nef Argo ? Ce fut là ton début. Et voici qu'après m'avoir
épousé – oui, c'est ton mari qui te parle ! –, après m'avoir donné
des enfants, pour tes appétits d'alcôve et de coucheries tu les
as sacrifiés ! Non, de toutes les femmes grecques pas une n'aurait jamais eu ce cynisme – et c'est à toi que j'ai cru devoir
donner le pas sur elles pour prendre épouse : union odieuse et
funeste pour moi, avec une panthère, une bête fauve pire que
celle qui sévit au seuil de la Tyrrhénie, Scylla ! Mais je pourrais
bien te lancer mille invectives : elles ne sauraient mordre sur
toi, tant tu as l'arrogance chevillée à l'âme ! Nettoie ce monde
de ta présence, scélérate qui t'es souillée sans vergogne du sang
de tes enfants !...

Quant à moi, plus rien ne s'offre que de gémir sur leur
destin. De mes jeunes noces je ne connaîtrai pas les joies, et
mes enfants, moi leur père, moi leur nourricier, je ne les aurai
plus vivants devant ma voix, je les ai perdus !

MÉDÉE. — J'en aurais long à dire pour répliquer à ton élo-
quence, si Zeus, notre père, ne savait fort bien ce que j'ai fait
pour toi, et ce que tu m'as fait. Tu n'allais pas, après avoir

bafoué mes droits conjugaux, mener tout au long la douce vie, en riant à mes dépens – ni toi, ni ta femme. Et celui qui te l'a mise dans les bras, Créon, n'allait pas impunément me chasser de ce pays ! Sur ce, traite-moi bien de panthère, à ta guise ! En te broyant le cœur, j'ai fait ce que je devais : rendre coup pour coup.

JASON. — Pour toi aussi, c'est deuil, et désastre : nous avons cela de commun !

MÉDÉE. — D'accord, mais ma douleur est payante, si elle doit t'empêcher, toi, de rire à mes dépens.

JASON. — Ô mes enfants ! quelle mère indigne vous avez eue !

MÉDÉE. — Ô mes fils ! quel coup fatal vous a porté l'aberration d'un père !

JASON. — Du moins, ce n'est certes pas mon bras qui les a fait périr !

MÉDÉE. — C'est ton outrage, c'est le nouveau foyer que tu as fondé.

JASON. — C'est parce qu'il te fallait coucher seule que tu t'es donné le droit de les tuer.

MÉDÉE. — Crois-tu que ce chagrin-là soit léger pour une épouse ?

JASON. — Oui, si elle est chaste. Mais toi, tu as tous les vices.

MÉDÉE *(coupant la discussion et montrant les deux cadavres)*. — Tu les vois ? Ils sont sans vie : cette morsure-là, c'est pour toi.

JASON. — Je les vois : ils sont en vie toujours, pour faire retomber sur ta tête une âpre vengeance.

MÉDÉE. — Les dieux savent qui est à l'origine des horreurs.

JASON. — Ils savent donc ce qu'est ton cœur : un cloaque.

MÉDÉE. — Garde ta haine, mais épargne-moi l'odieux supplice de t'entendre.

JASON. — Je t'en rétorque autant. C'est tout simple : brisons là.

MÉDÉE. — C'est mon désir le plus cher. Mais sur quel adieu ? Que puis-je faire pour toi ?

JASON. — Laisse-moi ces cadavres, pour que je les pleure et les ensevelisse !

MÉDÉE. — Jamais ! C'est moi qui les ensevelirai de ma main. Je les emporterai au sanctuaire de Haute-Roche, dédié à la divine Héra, pour les mettre à l'abri des profanations, de la subversion de leurs tombes par une main ennemie. Et à ce fief de Sisyphe, je donnerai à célébrer une fête solennelle et rituelle, en expiation de ce massacre impie. Quant à moi, je vais me rendre sur la terre d'Érechthée, pour y vivre au foyer d'Égée, fils de Pandion. Et toi, misérable, tu auras comme tu le mérites, une mort misérable : tel est l'amer dénouement que tu verras à tes noces adultères.

Jason. — Ah ! puisse t'écraser l'Érinys vengeresse née du meurtre de tes enfants ! Vienne Justice !

Médée. — Quel dieu peut t'écouter, quelle instance céleste, toi parjure, toi traître à qui t'a protégé sur le sol étranger.

Jason. — Âme pestiférée ! Bourreau de tes enfants !

Médée. — Retourne chez ta femme, et va l'ensevelir.

Jason. — J'y retourne – dépossédé de mes deux fils...

Médée. — Tu ne sais pas encore ce que c'est que pleurer : attends d'être un vieillard !

Jason. — Enfants si tendrement aimés !

Médée. — De leur mère, non pas de toi !

Jason. — C'est en foi de quoi tu les as massacrés ?

Médée. — C'est toi que j'ai visé, pour te broyer le cœur.

Jason. — Oh détresse ! mes fils ! hélas ! je voudrais tant couvrir de mes baisers vos lèvres bien-aimées !

Médée. — Ah ! ton cœur à présent s'ouvre à eux ! tu leur parles à présent ! Tout à l'heure tu les chassais bien loin !

Jason. — Fais-moi la grâce, au nom des dieux, de pouvoir caresser encore la tendre chair de ces petits !

Médée. — Impossible ! vaine supplique ! autant en emportent les vents !

(Le char s'envole et disparaît.)

Jason. — Zeus ! tu entends comme elle me repousse, ce que me fait subir cette pestiférée, qui de ses fils a fait massacre, la panthère ! À moi du moins le seul recours qui soit laissé en mon pouvoir : les sanglots et l'appel aux dieux ! Oui, je prends à témoin les puissances célestes qu'après avoir tué mes enfants tu m'empêches de toucher à leurs corps pour les ensevelir... Si j'avais pu jamais ne les avoir fait naître, plutôt que de les voir succomber sous tes coups !

Le Coryphée. — Du haut de son Olympe Zeus règle maintes et maintes choses. Maintes fois, nul ne s'attendait à ce qu'accomplissent les dieux : ce qu'on prévoit n'est pas réalisé ; à l'imprévu le Ciel livre passage...

Tel est le dénouement de cette tragédie.

Les Troyennes

PERSONNAGES

POSIDON.
ATHÉNA.
HÉCUBE, veuve de Priam, reine déchue de Troie.
CHŒUR de femmes et jeunes filles troyennes.
TALTHYBIOS, héraut d'Agamemnon.
CASSANDRE, fille d'Hécube.
ANDROMAQUE, veuve d'Hector.
MÉNÉLAS.
HÉLÈNE.
Astyanax, personnage muet ; soldats grecs.

(La scène est au camp des Grecs, entre Troie, où montent au loin les fumées du pillage, et le bord de la mer où sont mouillés les vaisseaux grecs. Une grande baraque en bois, fermée. Hécube est couchée en travers du seuil, comme morte. Paraît Posidon, armé de son trident.)

POSIDON. — Me voici : je suis Posidon. J'ai quitté les profondeurs salées de la mer Égée, où les Néréides déroulent en sillages de beauté les carrousels de leurs danses. Depuis qu'ici, autour du site de Troie, nous avons Phébus et moi établi une ceinture de remparts, alignant les pierres au cordeau, jamais mon cœur n'a banni de sa bienveillance ma chère cité de Phrygie... Elle n'est plus à cette heure que décombres fumants : les armes grecques l'ont anéantie. C'est qu'un homme du Parnasse, le Phocidien Épéios, charpenta – le stratagème était de Pallas – un cheval qui contenait tout un arsenal, et fit introduire à l'intérieur des murs cette idole votive et la funeste portée qu'elle cachait. D'où le nom que lui donneront plus tard les hommes : le Cheval de Bois, parce que les planches de sa coque dissimulaient une forêt de lances. Déserts, les lieux saints ! Les sanctuaires divins ruissellent de sang. Sur les marches qui formaient assise au Foyer civique voué à Zeus est étendu Priam – mort. Des monceaux d'or et le butin pris aux Phrygiens sont acheminés vers les vaisseaux des Grecs : ils n'attendent que d'avoir le vent en poupe pour aller enfin, après dix automnes passés, se donner la joie de revoir leurs femmes et leurs enfants, ces gens d'Hellade qui avaient fait de Troie la cible de leur expédition. Et moi, puisque je suis vaincu par Héra, patronne d'Argos, et par Athéna qui se sont alliées pour venir à bout des Phrygiens, je quitte la glorieuse Ilion et les autels que j'y avais : quand sous le coup d'un désastre, une cité est désertée, le culte des dieux s'y éteint et leurs honneurs tombent en désuétude. Une multitude de captives de guerre gémissent à tous les échos du Scamandre, tandis qu'on tire au sort leurs maîtres. Aux milices d'Arcadie sont attribuées les unes, de Thessalie les autres, ou aux fils de Thésée, sires d'Athènes. Mais toutes les Troyennes que l'on n'a pas réparties sont parquées en ces baraques : choix réservé aux grands chefs de l'armée. Avec elle se trouve aussi la Spartiate, la fille de Tyndare, Hélène : on l'a classée comme prise de guerre, et c'est justice.

(Montrant Hécube) Et cette infortunée, ici – peut s'en donner qui veut le spectacle : il ne tient qu'à lui – c'est Hécube. Couchée devant l'entrée, que de pleurs elle verse, que de deuils la déchirent ! Une de ses filles, sur le tombeau d'Achille (elle ne le sait pas) a été misérablement tuée : Polyxène. Effacés de ce monde, Priam et ses fils ! Et celle dont Apollon souverain, ayant dû la laisser vierge, fit une hallucinée, voici que sans se soucier du dieu qui se l'était consacrée, Agamemnon va l'épouser de force : la nuit enveloppera cette union.

Adieu donc, cité naguère éclairée de bonheur, remparts que j'avais jointoyés ! Pallas, fille de Zeus, a fait ta perte. Sans elle, tu serais encore sur ton socle !

(Paraît Athéna.)

ATHÉNA. — Dis-moi, toi qui es le frère germain de mon Père, et dont la puissance surnaturelle reçoit parmi les dieux tant d'hommages, m'est-il permis, renonçant à mon hostilité d'hier, de m'adresser à toi ?

POSIDON. — Il t'est permis, Athéna, noble Dame ! Les entretiens privés, au sein d'une famille, désarment grandement la rancune des cœurs.

ATHÉNA. — Merci de ta gentillesse. Ce que j'ai à mettre sur le tapis, Seigneur, associe nos intérêts à toi comme à moi.

POSIDON. — Serait-ce par hasard un nouveau message divin, de Zeus par exemple, ou de tel de nos collègues ?

ATHÉNA. — Non. Mais il s'agit de Troie, où nous sommes. Je suis venue pour obtenir l'appui de ta puissance, associée à la mienne.

POSIDON. — Vrai ? Tu as donc abdiqué à présent ton hostilité de naguère ? Tu as pris enfin pitié de Troie depuis qu'elle est en cendres ?

ATHÉNA. — Revenons d'abord où nous en étions. T'associeras-tu à ce que je te propose ? Aurai-je ta collaboration pour ce que je veux faire ?

Posidon. — Sans doute. Mais je veux tout de même que tu m'expliques ton affaire. Ton intervention est-elle en faveur des Grecs, ou des Troyens ?

Athéna. — Ces Troyens dont j'étais hier l'ennemie, je veux les réjouir, en infligeant à l'armée des Grecs un retour qui leur soit cruel.

Posidon. — Pourquoi sautes-tu comme cela d'une attitude à l'autre ? Tu passes des excès de haine aux caprices d'amitié !

Athéna. — Tu ne sais pas ? Un affront m'a été fait, à moi et à mon temple.

Posidon. — Je sais : Ajax en a arraché Cassandre de vive force.

Athéna. — Mieux : les Grecs ne l'en ont pas puni, ni même blâmé.

Posidon. — Pourtant, s'ils ont abattu Troie, c'est à ton bras qu'ils le doivent.

Athéna. — C'est bien pourquoi je tiens, avec ton aide, à les faire pâtir.

Posidon. — Tu y tiens ? J'y suis prêt de mon côté. Que vas-tu faire ?

Athéna. — Ils s'en retournent : je veux leur infliger un amer retour.

Posidon. — Avant qu'ils aient quitté terre ? ou sur les flots salés ?

Athéna. — Pendant leur traversée de la Troade vers leurs foyers. Zeus leur enverra pluies et grêles en déluge, des ouragans sous un ciel d'encre. Et il s'engage à me confier, à moi, le feu de sa foudre pour le précipiter sur les Grecs et incendier leurs vaisseaux. Quant à toi, à ton poste, arrange-toi pour que sur leur passage l'Égée rugisse, déferle, lame sur lame, écumante. Remplis de cadavres les anfractuosités de l'Eubée, pour que les Grecs apprennent à respecter à l'avenir ce qu'ils doivent à mes sanctuaires, et doivent aussi aux autres dieux.

Posidon. — Tu peux y compter. Pour ce service-là, point besoin de prolonger ton plaidoyer. Je mettrai en tumulte les étendues de la mer Égée. Les côtes de Myconos, les lignes de brisants de Délos, et Scyros, et Lemnos, et les falaises de Caphérée verront dans leurs eaux les cadavres sans nombre de ceux qui y auront trouvé la mort. Allons, retourne sur l'Olympe, fais-toi confier par ton Père ses carreaux fulgurants, et guette le moment où la flotte grecque larguera ses amarres. *(Se tournant vers le public)* Quelle folie humaine, abattre les cités, désoler et vider les temples, les tombeaux, ces asiles sacrés de l'éternel repos ! Les coupables, un jour, périssent à leur tour !

(Les deux divinités disparaissent.
Hécube s'éveille de sa prostration, sans avoir encore
la force de se mettre sur pied.)

HÉCUBE. — Hausse le front, infortunée ! Lève la nuque de la poussière !... Tout est fini. Ville de Troie, reine de Troie sont à néant... retour du sort. Résigne-toi, livre ta barque au fil du flot, au fil du sort... Tenir l'étrave face à la vague ? n'y songe pas ! Laisse la houle porter ta vie, vienne qu'advienne ! Hélas, hélas !

Rien m'est-il épargné, pauvre souffre-douleur ? Ma patrie, mes enfants, mon mari, balayés ! Au lieu du grand pavois hissé par nos aïeux, notre orgueil est en berne : il n'était que néant !... Sur quoi faire silence, ou rompre le silence ? Sur quoi mener le deuil ?...

Malheur à moi, sous le poids du destin !... Le corps brisé, gisante, en quel état ! là sur la dure, à m'écorcher le dos ! Ah ! pitié pour ma tête, et pitié pour mes tempes et ma pauvre poitrine ! Je voudrais imprimer à mon corps un roulis qui fasse bord sur bord osciller ma carcasse sur l'épine dorsale, pour cadencer sans fin mon gémir et mes larmes ! Aux malheurs où le chant collectif est sans voix, il est ce recours pour bercer la victime : clamer misère, seule !

(Elle se lève, chancelante, puis, raidie et hagarde, chante.)

Vives étraves des navires
que l'aviron porta vers la sainte Ilion
courant la mer teintée de pourpre
et les ports où la Grèce offre si beaux mouillages
(flûtes sonnaient leur cantique maudit,
fifres sifflaient à tous échos leurs notes...)
vos amarres dont le tressage
vous vient des leçons d'Égypte
vous les avez frappées, hélas
au bord des plages de Troade –
en rabatteurs pour Ménélas
d'une épouse maudite
qui fait honte à Castor et déshonore Sparte !
C'est elle, l'égorgeuse
de Priam, patriarche aux enfants innombrables,
elle la naufrageuse
pour moi Hécube, en ce désastre qui me brise !
Las ! quelle faction m'immobilise ici

près des tentes d'Agamemnon !
Loin de chez moi l'on m'entraîne en esclave
tête chenue que les griffes du deuil
ont pitoyablement ravagée et meurtrie !

(Se tournant vers les baraques.)

Ah ! vous que les Troyens sous leur harnois de bronze
laissent veuves, inconsolables,
vous, filles qui n'aurez d'époux que le chagrin,
à nous, sanglots ! Troie s'efface en fumée...
Pour vous, comme une mère oiselle
devant l'envol de sa couvée,
je veux attaquer ma complainte,
m'égosiller... Ah ! ce ne seront point
les trilles qu'appuyée au sceptre de Priam
je lançais autrefois, frappant
à beaux coups de talons les rythmes de chez nous
pour conduire vos chœurs en l'honneur de nos dieux...

(Une des baraques s'ouvre : le Demi-Chœur
des veuves vient se placer à gauche.)

LE PREMIER CORYPHÉE.　　　　　　　　[Strophe I]
Pourquoi ces cris, Hécube, et cet appel ?
Fais le point : qu'est-ce à dire ?...
À travers la paroi sont venus jusqu'à moi
les accents déchirants de ton cœur déchiré...
L'épouvante bat la chamade
dans la poitrine des Troyennes
qui lamentent leur servitude
à l'intérieur de ces baraques !

HÉCUBE.
Ah ! mes enfants, déjà les Grecs sur leurs navires
font mouvement pour saisir l'aviron !

LE PREMIER CORYPHÉE.
À moi ! Que veulent-ils ? Peut-être m'emmener
déjà sur mer, bien loin de ma patrie ?

HÉCUBE.
Je ne sais... je pressens le pire !

LE PREMIER CORYPHÉE.
Oïoïoïôh !
À moi, filles de Troie, pauvre troupeau parqué
Sortez ! Venez entendre à quoi l'on vous condamne !
La flotte grecque arme pour le retour !

HÉCUBE.
>Holà ! Holà ! Je vous en prie ne laissez pas
>sortir Cassandre, dans les transes
>où son esprit va s'égarer.
>J'en rougirais devant les Grecs...
>Que ne s'ajoute à mes chagrins ce chagrin-là !
>Ô Troie en ta détresse, ô Troie anéantie !
>Ô détresse de ceux qu'on arrache à ton ciel,
>les morts, les survivants !

>>(Sort le Demi-Chœur des jeunes filles,
>>qui se rangent à droite.)

LE SECOND CORYPHÉE.   [Antistrophe I]
>Que me veut-on ? Je sors de ces baraques,
>de chez Agamemnon...
>Je suis toute tremblante, et je viens, ô ma reine,
>pour entendre de toi la sentence des Grecs
>sur mon malheur : est-ce la mort,
>ou si les matelots déjà
>se mettent en devoir, à bord,
>de tirer sur les avirons ?

HÉCUBE.
>Ah ! mon enfant, depuis la pointe de l'aurore
>je suis venue, le cœur glacé d'angoisse...

LE SECOND CORYPHÉE.
>Est-ce qu'un héraut grec s'est déjà présenté ?
>Qui mon malheur m'inflige-t-il pour maître ?

HÉCUBE.
>Ton sort bientôt sera joué.

LE SECOND CORYPHÉE.
>Oïoïoïôh !
>Est-il d'Argos ?
>Est-il de Phthie ? ou bien des îles,
>celui qui loin de Troie jusque dans son pays
>m'emmènera pour traîner ma misère ?

HÉCUBE.
>Hélas ! Hélas ! De qui, chez qui serai-je esclave ?
>en quel pays – pauvre vieillarde,
>vague frelon, pâle fantôme
>évanescent de l'outre-tombe,
>une âme en peine, un revenant de chez les morts ?
>Hélas ! Rester de garde en service, à la porte
>ou soigner des marmots, moi qu'entouraient à Troie
>tous les honneurs du trône !

LE CHŒUR (*ensemble*).   [Strophe II]

Ô douleur ! C'est pitié que d'avoir à t'entendre
sangloter ainsi sur ta déchéance !
Ah ! ce n'est plus sur les métiers de mon pays
que ma navette, en virevoltes,
fera son va-et-vient ! Jamais plus je n'aurai,
jamais plus, sous les yeux le toit de mes parents...
J'endurerai bien pis : les étreintes d'un Grec
– maudite soit la nuit où m'attend ce destin ! –
où j'irai, souillon pitoyable
puiser de l'eau à la font sainte de Pirène
Ah ! si je pouvais être acheminée
au fief glorieux, béni, de Thésée
et non vers l'Eurotas aux rives détestées :
Hélène y fut couvée, et là-bas je devrais
affronter Ménélas pour maître,
lui, le dévastateur de Troie !

                                                [Antistrophe II]

Plaine prestigieuse où coule le Pénée
assise admirable au pied de l'Olympe,
tu es lourde, dit-on, de plantureux trésors
florissants et fructifiants :
à défaut de la sainte et divine contrée,
qu'est le fief de Thésée, ah ! c'est toi qui m'attires !
Le sol volcanien, la terre de Sicile,
mère du mont Etna, face à la Phénicie,
à son de trompe je le sais,
on chante les vertus dont elle est couronnée.
Et non loin de là dans les mêmes eaux,
en mer d'Ionie, le pays qu'arrose
ce fleuve de beauté, le Crathis, où le bain
fait blondir les cheveux en reflets mordorés :
son flot divin nourrit, féconde
un terroir noblement peuplé.

LE CORYPHÉE. — Mais un porte-parole de l'État-major grec
se présente, voyez ! Il a quelque nouvelle à nous communi-
quer, et pour s'en acquitter il marche à pas pressés. De quoi
est-il porteur, ah ! que vient-il nous dire ?... Je nous vois déjà
serves sous le ciel de Doride !

(*Entre Talthybios, escorté de quelques valets d'armée.*)

Talthybios. — Hécube, tu sais que souvent par le passé je me suis rendu à Troie, en mission au nom de l'armée grecque ; je te suis donc connu : Talthybios. (*Un bref silence.*) Je viens te notifier les dernières nouvelles, noble dame.

Hécube.
<blockquote>

Voici l'instant, chères sœurs d'Ilion...
Depuis longtemps nos cœurs le redoutaient.
</blockquote>

Talthybios. — C'est fait, votre sort est fixé – si c'est ce que vous redoutiez.

Hécube.
<blockquote>

Hélas !... Mais parle donc : chez qui ? en Thessalie ?
En Phthiotide ? en Béotie ?
</blockquote>

Talthybios. — Chacune de vous a son maître : on vous a séparées.

Hécube.
<blockquote>

Qui est échue à qui ?
Pour le sort qui nous guette, à qui sourit la chance
parmi les filles d'Ilion ?
</blockquote>

Talthybios. — J'ai de quoi te répondre ; mais pose les questions une à une ! Tout à la fois, non.

Hécube.
<blockquote>

Eh bien dis-moi... ma fille, à qui est-elle échue,
la pauvre enfant, Cassandre ?
</blockquote>

Talthybios. — Par droit souverain de préemption, Agamemnon se l'est réservée.

Hécube.
<blockquote>

Pour l'offrir en servante à l'autre Spartiate,
à son épouse ? Horreur !
</blockquote>

Talthybios. — Non : il veut faire d'elle, en secret, sa concubine.

Hécube.
<blockquote>

Lui ? La pucelle de Phébus ?
Le dieu aux cheveux d'or a permis, par hommage,
qu'elle vécût dans la virginité !
</blockquote>

Talthybios. — Il a été blessé d'amour par cette fille qu'habite le dieu.

Hécube.
<blockquote>

Ah ! défais-toi de tes clefs liturgiques,
ma fille, et de ton diadème,
et de tout l'appareil de la sainte vêture
où tu drapes ton corps !
</blockquote>

TALTHYBIOS. — N'est-ce pas un grand destin pour elle que d'entrer au lit de notre roi ?

HÉCUBE.

Mon autre enfant, qu'hier vous m'avez arrachée
où est-elle, dis-moi ?

TALTHYBIOS. — C'est Polyxène dont tu t'enquiers ? Ou de qui parles-tu ?

HÉCUBE.

C'est d'elle : au joug de qui le sort l'a-t-il soumise ?

TALTHYBIOS. — Elle est assignée au service d'Achille, sur son tombeau.

HÉCUBE.

Ah ! quelle horreur !
En service auprès d'une tombe ?
C'était donc pour cela que je l'ai mise au monde
Mais voyons, mon ami,
est-ce un usage grec ? et pour quel rituel ?

TALTHYBIOS. — Félicite-toi du sort de ta fille. Pour elle, tout est bien.

HÉCUBE.

Que veux-tu dire ? Réponds-moi :
elle est toujours sous le soleil ?

TALTHYBIOS. — La condition qui lui est faite la met à l'abri de toute affliction.

HÉCUBE.

Et mon Hector au cœur de bronze
qu'advient-il de sa veuve,
de la pauvre Andromaque ?

TALTHYBIOS. — Le fils d'Achille se l'est réservée – là aussi par droit de préemption.

HÉCUBE.

Et moi, qui m'aura pour servante,
moi, pauvre vieille tête, et qui ne puis marcher
sans un bâton en main comme troisième appui ?

TALTHYBIOS. — C'est Ulysse, le roi d'Ithaque, qui est désigné pour être ton maître.

HÉCUBE.

À moi, à moi d'ensanglanter ma tête rase,
de déchirer avec mes ongles mes deux joues !
C'est trop affreux ! Ignominie et félonie,
voilà l'individu dont je serai l'esclave !

Ennemi juré des voies droites,
monstre qui bafoue toute loi...
Il tourne ici à sa guise
tout ce qu'il recueille là,
revenant là-bas ensuite
pour semer la zizanie ;
langue double qui détruit
les amitiés établies
pour faire entre tous et tous
lever les inimitiés !
Pleurez sur moi, filles de Troie ! C'en est fini :
ce malheur-là m'écrase !
C'est à moi qu'est échu le comble de misère.

LE CORYPHÉE. — Tu connais ton sort, toi que je vénère... Mais moi, quel est l'Achéen, quel est le Grec qui dispose de mon avenir ?

TALTHYBIOS. — Allons, valets, amenez Cassandre ici dehors, au plus vite ! Que je la remette aux mains du généralissime avant d'aller conduire aux autres chefs les captives qu'ils se sont choisies.

(On voit des lueurs briller par les étroites ouvertures
ménagées dans les parois de la baraque.)

Hé là ! Que signifie ? Une flamme de torche qui brille là-dedans ? Est-ce qu'elles mettent le feu à leur chambrée, ces Troyennes ? Ou bien quoi ? À l'idée qu'on va les déporter d'ici en terre grecque, elles choisissent la mort et veulent se brûler vives. Certes une âme de trempe libre se cabre quand elle a de telles humiliations à subir... Ouvrez, ouvrez ! Pas de ça !... Elles ont tout à y gagner, mais les Grecs, eux, en seraient lésés – et c'est à moi qu'on en demanderait compte !

HÉCUBE. — Mais non, elles ne mettent pas le feu. C'est ma fille Cassandre qui se précipite vers nous dans la transe d'un de ses accès.

(Cassandre sort d'un bond, en proie à une allégresse
démente. Étrangement vêtue, à la fois en prêtresse et
en jeune mariée, elle brandit une torche allumée et se met
à danser en hallucinée.)

CASSANDRE.   [Strophe]
Torche haute ! Place libre !
La flamme dont je suis porteuse,
Voyez-la, voyez-la, pieuse et radieuse,
illuminant ce sanctuaire !

Viens me prendre, Hymen souverain !
Bénédiction sur le noble époux !
Bénédiction sur moi, l'épousée
que le roi d'Argos va prendre en son lit !
Viens me prendre, Hymen, Hymen souverain !
Mère, il n'est pour toi que larmes et sanglots
ne laissant point de trêve à tes gémissements
sur la mort de mon père
et sur notre chère patrie.
C'est moi qui lèverai pour mes noces la flamme
de la torche allumée qui brasille et scintille
pour Te dédier, Hyménée,
Te dédier, Hécate,
la flamme qu'exige le rite
au jour où nous disons adieu
à notre lit de jeunes filles.

[Antistrophe I]

Entrechats ! Jetés-battus !
Et pour mener, mener la danse
que l'Évohévohé nous emporte à son souffle
comme au temps où régnait mon père
aux jours bénis de nos splendeurs !
Notre danse ici est pure et fervente ;
conduis-la Phébus, au bois des lauriers,
vers ton Saint des saints pour Ta célébrante !
Hymen, viens me prendre, Hymen, Hyménée !
Mère, entre dans la danse, allons, prends part au chœur !
Par tours et par retours, au rythme de mes pas
viens former les figures
avec moi, pour l'amour de moi !
Célébrez Hyménée en cantiques bénis !
Chantez l'alléluia de ma joie nuptiale !
Allons, dans toute la splendeur
de vos robes de fête,
filles de Troie, chantez mes noces
avec l'époux que le destin
a marqué pour s'ouvrir mon lit !

Le Coryphée. — Reine, ta fille est en plein délire ! Retiens-la : ses bonds de feu follet pourraient l'entraîner jusqu'au bivouac des Grecs.

Hécube. — Âme du feu, dont la torche préside aux mariages ici-bas, ah ! comme elle est cruelle, ici, la flamme que tu fais brûler – bien étrangère aux hautes espérances que nous eûmes ! (*À Cassandre*) Pauvre enfant ! Comme j'imaginais peu que ton mariage (et ce mariage-là...) dût jamais s'accomplir sous la chape de bronze et de plomb d'une armée grecque !... Donne-moi ce flambeau. Tu n'en tiens pas la flamme droite, dans l'égarement qui t'agite ; nos méchefs ne t'ont pas fait recouvrer la raison, et tu restes toujours la même. (*À deux jeunes filles sorties en même temps que Cassandre*) Emportez ces torches, Troyennes. La seule réponse à donner à son cantique nuptial, ce sont vos larmes.

CASSANDRE. — Mère, fixe sur mon front le diadème triomphal, et réjouis-toi de mes épousailles royales ! À toi de m'y conduire ; et si tu vois en moi quelque répugnance, entraîne-m'y de force. Aussi vrai qu'Apollon est vivant, Agamemnon aura, en se faisant mon mari, une épouse plus funeste qu'Hélène, ce glorieux souverain des Grecs ! Je lui apporterai la mort, et pour sa Maison la ruine : juste retour qui sera ma vengeance pour mes frères et pour mon père... Il y en aura d'autres, mais je passe. Je ne vaticinerai pas sur la hache qui me tranchera le col, à moi et à d'autres, sur le meurtre d'une mère par ses enfants dressés contre elle (c'est ce qui découlera de l'union qui m'attend), ni sur l'écroulement de toute la lignée d'Atrée.

Mais je vais faire voir que le destin de notre cité est plus enviable que celui des Grecs. Le dieu m'habite, certes, mais sur ce point précis je raisonnerai de sang-froid. Ces gens-là, rien que pour une femme, et rien que pour ses ébats d'alcôve, pour cette Hélène qu'ils relançaient, ont eu des victimes sans nombre. Leur chef, dans sa haute sagesse, a immolé à ce qu'il devait le plus haïr ce qu'il devait chérir plus que tout : la joie de son foyer, sa fille, il l'a livrée en faveur de son frère, pour les beaux yeux d'une femme – et d'une femme qui l'avait délibérément quitté, sans rapt ni contrainte. Sur les bords du Scamandre, la mort qu'ils trouvaient à ce rendez-vous-là, ce n'était pas pour défendre leur territoire dont on voulût les chasser, les hautes murailles de leur patrie. Ceux qui ont succombé dans la mêlée n'ont pas revu leurs enfants, ce ne sont pas les mains conjugales qui ont drapé leur linceul. Ils restent en terre étrangère, gisants. Et dans leurs foyers, même chose... Mieux vaut me taire sur les infamies : loin de moi l'idée de prêter ma voix à des couplets inspirés par ce qui est vil. Mais les femmes mouraient veuves ; les parents, sans enfants pour leur succéder en leurs biens (leurs fils, ils ne les avaient élevés qu'en pure perte) et sans personne pour offrir à la terre sur leurs tombes le sang des victimes. Voilà le digne panégyrique de la campagne où ils se sont lancés.

Quant aux Troyens, d'abord la plus belle des gloires était à eux : c'est pour la patrie qu'ils mouraient. S'ils tombaient dans la mêlée, du moins leurs corps étaient rapportés sous leur toit par leurs amis, et c'est sur le sol de leurs aïeux qu'ils trouvaient leur manteau de terre, après avoir reçu les derniers soins des mains de ceux qui avaient à les leur rendre. Et tous ceux qui survivaient aux engagements avaient le constant soutien, jour après jour, de vivre avec leur femme et leurs enfants – joies dont les Grecs étaient privés. Quant à Hector qui met ton cœur en deuil, écoute ce qu'il en est de lui. Avant d'être emporté par la mort, il s'est imposé comme le plus vaillant des preux : c'est la venue des Grecs qui le lui a permis. S'ils étaient restés chez eux, sa valeur restait ignorée. Et Pâris, qui prit dans son lit la fille de Zeus, s'il ne l'avait fait, personne n'aurait parlé de la bru qu'il aurait amenée sous ton toit.

Certes, éviter la guerre est le devoir du sage. Mais quand à une ville elle est imposée, succomber en beauté n'est pas une auréole dont elle ait à rougir : il n'est honte à mourir que dans la vilenie.

Voilà pourquoi, mère, tu ne dois gémir ni sur ton pays ni sur le lit qui m'attend. Car les noces où je vais détruiront nos pires ennemis à moi comme à toi.

LE CORYPHÉE. — Quel plaisir tu prends à t'enchanter de choses qui ne sont belles que pour toi ! Les riantes perspectives que tu nous chantes là, ton propre sort risque de prouver qu'elles sont fausses.

TALTHYBIOS. — Apollon fait divaguer tes esprits ! Sans quoi tu n'escorterais pas impunément les généraux mes maîtres de pareilles déclamations à leur départ de Troade ! Ma foi, avec tout leur prestige et leurs dehors de sagesse, les puissants ne valent pas mieux, je vois, que les gens de rien. Le chef suprême de la coalition panhellénique, le fils chéri d'Atrée, est allé choisir cette possédée pour s'en amouracher : moi chétif, ce n'est pas moi qui aurais demandé à coucher avec elle. *(À Cassandre)* À ta guise ! Puisque tu as le cerveau dérangé, insulte les Grecs et chante la louange des Phrygiens, je te laisse faire : autant en emporte le vent. Mais suis-moi jusqu'aux navires, ma belle ; le général attend sa fiancée. *(À Hécube)* Et toi, quand Ulysse voudra qu'on t'amène, obtempère. Tu seras aux ordres d'une femme de bien, à ce que disent ceux qui sont venus à Troie.

CASSANDRE. — Il est inouï, ce commis aux ordres ! Pourquoi donc leur donne-t-on le titre de hérauts, à cette engeance, la plus haïssable qu'il y ait en ce monde, de l'avis unanime ? Ce n'est que valetaille des monarques et des États ! Que viens-tu prétendre ? Ma mère, là-bas, chez Ulysse, dans son palais ? Et que fais-tu des paroles de Phébus qui fixent ici même, par prédictions à moi confiées, le lieu de sa mort ? Je tais le reste, qui serait avilissant... Le pauvre Ulysse ! Il ne sait pas les épreuves qui l'attendent ! Doux comme miel, en comparaison, lui sembleront un jour mes malheurs et ceux des Phrygiens. Il lui faudra tirer dix années encore, outre celles qu'il a passées ici, avant d'aborder, seul rescapé, dans sa patrie. Elle le sait, celle qui a son repaire sur la falaise du détroit, la terrible Charybde ! Et l'ogre sanguinaire, le Cyclope montagnard, et la sorcière de Ligurie, Circé, qui change les gens en pourceaux... Et les naufrages dont il sortira tout salé, et les enjôlements du lotos, et les vaches sacrées du Soleil, dont les quartiers de viande feront retentir des meuglements qui lui coûteront cher, à Ulysse ! J'abrège : tout vivant, l'Enfer le recevra. Et il n'échappera au piège des eaux que pour trouver chez lui mille méchefs à son retour.

Mais quel besoin de vider mon carquois en détaillant les épreuves d'Ulysse ? *(À Talthybios)* Marche ! au plus tôt j'entends que se consomme mon mariage, au rendez-vous d'Enfer. Oui, misérable, on t'ensevelira en misérable et de nuit, loin du jour, grand chef des Grecs, toi que l'événement semble combler de bénédictions ! Et mon cadavre, il sera jeté, nu, près de la tombe où sera mon époux, dans les ravins où les torrents d'hiver roulent leurs eaux. Et j'offrirai ripaille aux fauves, moi, ancelle d'Apollon ! *(Arrachant ses parures)* Diadème du Bien-aimé qui est mon seul et divin Maître, vêture de mes saintes transes, adieu ! C'en est fini pour moi des fêtes où je vous vêtais ! Quittez-moi ! Oui, je vous arrache de mon corps !... Je veux les livrer, tant que ma chair est encore pure, à l'aile des vents, ces débris, pour être portés jusqu'à Toi, souverain Maître des oracles ! *(À Talthybios)* Où est le vaisseau de ton chef ? Où donc faut-il que je m'embarque ? Dépêche-toi d'aller guetter le vent qui gonflera ses voiles ! Ha ! c'est une des trois Furies que vous allez prendre avec vous en m'emmenant loin de ces bords ! *(À Hécube)* Adieu, ma mère ! Point de larmes !... Ma patrie bien-aimée, et vous, mes frères descendus là-bas, toi, père en qui nous avions vie, sous peu vous allez m'accueillir. Je vous rejoindrai chez les morts dans tout l'éclat de ma victoire : j'aurai renversé leur Maison, à ces Atrides, nos bourreaux !

(Elle s'éloigne accompagnée de Talthybios
et de ses hommes. Hécube s'effondre à terre.)

LE CORYPHÉE. — Vous qui veillez sur elle, voyez Hécube... Notre vieille reine s'affaisse de tout son long, sans un mot... Soutenez-la ! Aurez-vous la lâcheté de la laisser ainsi effondrée, à son âge. Saisissez-la, relevez-la !

HÉCUBE. — Laissez – comment saurait-on gré de soins qu'on reçoit contre son gré ? – laissez-moi gisante ; cet effondrement ne sied que trop bien à ce que j'endure, et que j'ai enduré, et que j'endurerai encore. Ô dieux !... certes c'est à de traîtres alliés que j'en appelle là, mais il est bien de mise de faire appel aux dieux quand on subit l'assaut du malheur. J'aimerais commencer par chanter mes joies, pour que mes douleurs inspirent plus de pitié encore.

Reine j'étais, et c'est d'un roi que je devins l'épouse. Les enfants que j'ai fait naître là furent magnifiques, par le nombre certes, mais surtout par l'éclat de leur supériorité sur tous ceux de notre nation. Pas une Troyenne, pas une femme en Grèce ni hors de Grèce ne saurait se targuer d'une pareille lignée. Et ce sont eux que j'ai vus succomber sous les coups des Grecs ; mes cheveux, voyez, je les ai coupés sur leurs tombeaux en offrande funéraire. Et Priam le patriarche, on n'a pas eu à m'informer de sa mort ; si je le pleure, c'est que je l'ai vu égorger, de mes yeux, sur l'autel de notre foyer : Troie était prise ! Mes filles, que j'avais élevées pour leur trouver des époux dans les plus hauts rangs de l'élite, c'est pour des Grecs que je les ai élevées ! On les a arrachées de mes bras. Je n'ai pas d'espoir qu'elles puissent me revoir, et moi-même plus jamais je ne les reverrai. Enfin, pour comble de douleurs, la misérable vieille femme que je suis va s'en aller en Grèce comme esclave. Les tâches les plus offensantes pour l'âge où me voici, on me les imposera : je serai de planton à une porte pour veiller sur le loquet, moi la mère d'Hector ! ou je ferai la boulange ; et je coucherai à même le sol, le dos plein d'escarres... Où sera-t-elle mon alcôve royale ? Mon corps délabré n'aura pour se couvrir que des guenilles délabrées – quelle humiliation devant les heureux de ce monde ! Malheur de moi ! Parce qu'une femme s'est donnée à un amant, elle seule, à lui seul, que n'ai-je pas eu à subir, et que n'aurai-je pas à subir !

Ah ! mon enfant, Cassandre, toi que les dieux appelaient à eux dans l'ivresse mystique, en quel désastre aura sombré ta vocation de chasteté ! Et toi, malheureuse Polyxène, où donc es-tu ? De tant de maternités il ne me reste plus un fils, plus une fille pour m'assister dans ma détresse. Pourquoi voulez-vous me relever ? Qu'en espérez-vous ? Mes pas qui hier à Troie foulaient l'or et la soie, et qui sont aujourd'hui ceux d'une esclave, guidez-les vers une jonchée de paille, vers une pierre où poser ma tête, que je puisse m'y affaler et m'y laisser mourir dévorée de larmes. Ah ! ne croyez jamais, si heureux qu'il paraisse, au bonheur de personne avant qu'il ne soit mort !

(Elle retombe sur le sol.)

LE CHŒUR. [Strophe]

Vienne me visiter le souffle
d'un chant comme jamais il ne s'en éleva
pour Ilion ! Que nos voix et nos larmes
lui offrent cette obsèque :
je vais psalmodier la complainte de Troie.
Par le charroi qui, sur ses quatre pattes,
y fit entrer le Cheval grec furent scellés
ma perte, mon malheur et ma captivité.
Les Grecs l'avaient laissé, hennissant vers le ciel,
caparaçonné d'or, sous nos murs – et bourré
de gens en armes... C'est alors
que de notre peuple assemblé,
unanime, debout sur la roque troyenne
jaillit ce cri :
« Hourra ! C'en est fini à présent de nos peines !
Allez, traînez, faites entrer
et monter jusqu'ici
ce colosse de bois en offrande votive
pour la fille de Zeus, pour Pallas d'Ilion ! »
Filles, vieillards, tous et toutes, sortirent
de leur maison, chantant liesse :
c'est ainsi qu'on donna dans le piège fatal !

[Antistrophe]

Toutes gens se précipitèrent
aux portes de la ville. Oui, l'ouvrage – le piège ! –
qu'avaient monté les Grecs en rabotant
des pins de la montagne,
ils entendaient l'offrir en action de grâces
(présent fatal pour notre Dardanie)
à la déesse vierge, aux chevaux immortels !

On jette autour de lui tout un harnais de cordes,
de câbles torsadés ; et, comme on aurait fait
d'un vaisseau pour haler au sec sa coque sombre,
on le hisse au parvis de pierre
de notre déesse Pallas,
sur l'esplanade où allait être poignardée
notre patrie !
Joyeux labeur !... Sur quoi vint le soir, et ses ombres.
Et d'entonner au son des flûtes
les cantates d'Asie ;
l'air et le sol vibraient sous le talon des filles,
aux acclamations de leurs chants d'allégresse.
Dans les maisons où brillaient mille feux
les noires lueurs de la nuit
étaient mises en fuite aux rayons des flambeaux.

[Épode]

Et moi, en l'honneur de Celle
qui court par monts et par vaux,
Artémis, fille de Zeus,
je chantais et je dansais
autour de son sanctuaire !
C'est alors que, s'élevant
dans la ville d'Ilion,
une clameur de carnage
enveloppe les maisons...
Et les petits enfants vont, de tout leur amour,
se serrer sur leur mère, accrochant à sa robe
leurs menottes transies d'angoisse.
Irruption d'Arès hors de son embuscade !
Accomplissement des plans de Pallas !
C'est du sang des Troyens que les autels ruissellent.
Et dans leur lit qu'a laissé vide
l'époux de leur jeunesse,
les femmes se rasent la tête :
trophées de gloire à recueillir
pour les nourrissons de l'Hellade !
Pour la patrie troyenne oblations de deuil !

(Un chariot s'avance où est assise Andromaque, tenant
dans ses bras le petit Astyanax. On y a aussi entassé
tout un butin de guerre, dont le bouclier d'Hector.)

LE CORYPHÉE. — Hécube, vois : c'est Andromaque ! On lui
a fait prendre passage sur un chariot étranger, accompagnée

71

d'Astyanax qu'elle berce contre son sein, le cher petit, le fils d'Hector. Pauvre femme, où l'emmène-t-on, assise sur cette prolonge à côté des armes de bronze qu'avait Hector, et du butin pris aux Troyens par droit de guerre, dont à son retour d'Ilion le fils d'Achille, en ex-voto, ornera les temples de Phthie ?

ANDROMAQUE.   [Strophe I]
Les Grecs sont à présent nos maîtres : ils m'emmènent.
HÉCUBE.
Hélas !
ANDROMAQUE.
Mais toi, mère, à quoi bon lancer le chant lugubre...
HÉCUBE.
Horreur !
ANDROMAQUE.
... de mes afflictions...
HÉCUBE.
Grand dieu !
ANDROMAQUE.
... et de mon infortune ?
HÉCUBE.
Vous, mes enfants...
ANDROMAQUE.
Oui, hier, quand nous étions vivants...
HÉCUBE.   [Antistrophe I]
Détruit, notre bonheur, et détruite, Ilion...
ANDROMAQUE.
Misère !
HÉCUBE.
... et le noble trésor de mes maternités !
ANDROMAQUE.
Ô deuil !
HÉCUBE.
Oui, deuil de mon destin...
ANDROMAQUE.
Horreur !
HÉCUBE.
... Sinistre dénouement...
ANDROMAQUE.
pour notre Troie...
HÉCUBE.
dans les fumées de l'incendie !

ANDROMAQUE.   [Strophe II]
> *À moi, mon cher époux ! Si tu pouvais venir...*

HÉCUBE.
> *Tu appelles mon fils – mais il est chez les morts, ma pauvre*
> *enfant !*

ANDROMAQUE.
> *... au secours de ton Andromaque !*

HÉCUBE.   [Antistrophe II]
> *Toi qu'ont indignement traité les soudards grecs...*

ANDROMAQUE.
> *Vénérable Priam, vieillard, père d'Hector*
> *mon cher seigneur...*

HÉCUBE.
> *... ouvre-moi le sommeil des morts !*

ANDROMAQUE.
> *Ces vœux sont sans mesure...*

HÉCUBE.
> *Comme sont nos douleurs,*
> *infortunée !...*

ANDROMAQUE.
> *La cité de Troie est anéantie...*

HÉCUBE.
> *Douleurs sur douleurs qui s'appesantissent !*

ANDROMAQUE.
> *... par rancune divine, oui, quand ton fils Pâris*
> *réchappa de la mort ;*
> *n'est-ce pas lui qui pour l'amour d'une ribaude*
> *a fait périr l'acropole de Troie ?*
> *Et, baignant dans leur sang,*
> *sous les yeux divins de Pallas*
> *s'étalent les cadavres*
> *qu'écartèleront les vautours...*
> *Si Troie est sous le joug et serve,*
> *le coupable, c'est lui !*

HÉCUBE.   [Antistrophe III]
> *Ô patrie écrasée...*

ANDROMAQUE.
> *Pour toi, en te quittant*
> *toutes mes larmes...*

HÉCUBE.
> *... tu vois, c'est la fin ! Ô jour de détresse !*

ANDROMAQUE.
> *... et pour le foyer où naquit mon fils !*

73

HÉCUBE.

Et moi je suis vouée, mes fils, à vous survivre.
Devant notre patrie qui n'est plus qu'un désert
quels chants désespérés,
quels accents de douleur
quels flots de larmes et de larmes,
pour deuiller nos maisons !
Ce n'est qu'aux morts qu'il est donné
d'oublier leurs afflictions :
eux, ils n'ont plus de larmes.

LE CORYPHÉE. — Quelle douceur dans les plus noires détresses on trouve à gémir, à se lamenter, à chanter son chagrin !

ANDROMAQUE. — Toi qui avais pour fils un héros dont la lance a fait chez les Grecs tant de victimes, mère d'Hector, tu vois ce qui nous frappe !

HÉCUBE. — Je vois comment les dieux mettent au pinacle ce qui rampait au sol, et anéantissent ce qui en imposait.

ANDROMAQUE. — Je ne suis plus, avec mon fils, qu'un butin qu'on emmène. Nés comme nous le sommes, nous voici devenus serfs ; quel renversement du destin !

HÉCUBE. — Terrible loi de la Nécessité ! À l'instant vient de me quitter Cassandre : on me l'a arrachée de force.

ANDROMAQUE. — Quelle horreur ! Comme s'il ne suffisait pas d'un Ajax pour ta fille ! Il en a surgi un autre. Et ce n'est pas ta seule affliction.

HÉCUBE. — Certes, elles sont pour moi sans nombre et sans mesure. Malheur sur malheur font assaut pour m'accabler.

ANDROMAQUE. — Morte, ta fille Polyxène ! Immolée sur le tombeau d'Achille en offrande funéraire à son ombre.

HÉCUBE. — Malheur à moi ! C'était donc cela... J'aurais dû comprendre depuis longtemps la réponse de Talthybios, ambiguë, lourde d'incertitude et de certitude !

ANDROMAQUE. — Je l'ai vue moi-même ; et je suis descendue de ce char pour l'envelopper d'un voile et me frapper la poitrine devant son cadavre.

HÉCUBE. — Hélas, mon enfant ! quelle abomination de t'avoir immolée ainsi ! Hélas ! encore hélas ! quelle mort atroce tu as reçue !

ANDROMAQUE. — Elle est morte comme elle est morte... Mais elle a toutefois dans la mort un destin plus heureux que moi dans la vie qui m'est laissée.

HÉCUBE. — Il n'y a point de commune mesure, mon enfant, entre périr et voir encore le jour : d'un côté c'est le néant, de l'autre il reste encore place pour l'espoir.

ANDROMAQUE. — Ô toi qui lui avais donné le jour, écoute, mère, un raisonnement souverain qui me permette de rendre à ton cœur quelque joie. Être mort, c'est comme si l'on n'était jamais né, voilà tout ; et plutôt qu'une vie lugubre, mieux vaut la mort : on n'y éprouve nulle souffrance du sentiment de ses maux ; tandis que celui qui, heureux naguère, tombe dans le malheur, son cœur reste harcelé par ses beaux souvenirs. Polyxène, dans la mort, est exactement comme si elle n'avait pas vu le jour, elle n'a aucune conscience de ses maux. Mais moi !... J'ai voulu m'acquérir un noble renom ; je n'y ai que trop réussi – et j'ai manqué le bonheur. Tout ce qui, de l'aveu général, est marque de sage conduite pour une femme, je m'y évertuais au foyer d'Hector. D'abord dans les occasions où – qu'il y ait ou non motif réel de blâme pour la femme – le fait même de sortir de chez elle donne à jaser à ses dépens, je faisais bon marché du désir que j'en avais, et restais à la maison. Et dans mon intérieur je ne donnais pas accès aux babils et minauderies féminines. Avoir pour guide une saine raison, tirée de mon propre fonds, cela me suffisait. Le silence de mes lèvres, la paix de mon regard, voilà ce que j'offrais à mon mari ; et je savais sur quels points je devais lui imposer mes vues, ou au contraire le laisser m'imposer les siennes.

Le renom que je me suis fait là est parvenu jusque dans l'armée grecque, et ce fut ma perte. À peine étais-je prise que le fils d'Achille voulait m'obtenir pour femme ; c'est dans cette maison d'assassins que je serai serve. Si j'écarte le souvenir d'Hector, cette tête si chère, pour ouvrir mon cœur à l'époux que j'aurai devant moi, ce sera félonie envers le défunt. Et si je repousse le nouveau venu, je me ferai un ennemi de celui qui aura tout pouvoir sur moi. On prétend qu'il suffit d'une seule nuit à un homme pour désarmer la répugnance d'une femme devant ses étreintes... Foin de celle qui oublie son premier mari et lui fait succéder dans sa tendresse un autre partenaire ! Quoi ? Même une pouliche que l'on a séparée de la compagne avec laquelle elle est couplée regimbe à tirer où elle est attachée – et pourtant une bête, qui ne sait point parler, qui n'a pas l'usage de la raison, ce n'est qu'une créature inférieure !

Mon Hector bien-aimé ! J'avais en toi l'époux qui comblait tous mes vœux : raison, noble race, richesse, vaillance, tu avais toutes les grandeurs. J'étais intacte quand tu vins me chercher au foyer de mon père, c'est toi qui m'as initiée, vierge, à l'œuvre de chair. Et voici que tu es mort, et moi, on m'embarque prisonnière vers la Grèce pour y subir le joug de l'esclavage... Allons donc ! dans son trépas, n'est-elle pas moins malheureuse que moi, cette Polyxène que tu pleures ? Ce qui reste toujours ici-bas, l'espérance, elle-même m'est enlevée, et je ne me leurre pas de l'idée que l'avenir me soit jamais plus indulgent – non, même pas le baume de l'illusion !

LE CORYPHÉE. — Le malheur où tu te trouves est aussi le mien : en déplorant ton sort, tu m'éclaires sur ce que j'ai moi-même à endurer.

HÉCUBE. — Jamais personnellement je n'ai mis le pied sur un navire, mais j'en ai vu en peinture, et je sais par ouï-dire ce qui s'y passe. Par gros temps, si les marins n'ont à faire face qu'à des difficultés moyennes ils se dépensent avec entrain pour sortir de peine sains et saufs : l'un tient sa place au gouvernail, l'autre à la voiture, un autre aveugle les voies d'eau dans la cale. Mais si la mer démontée balaie toute défense, ils cèdent au destin, et s'abandonnent aux lames dont la cavalcade les emporte. Ainsi de moi : accablée de douleurs, je reste sans voix, et je m'y abandonne, muette, vaincue par l'ouragan de désastre qu'ont déchaîné les dieux.

Allons, ma chère enfant, écarte de ta pensée ce qu'il est advenu pour Hector ; tes larmes ne le ressusciteront pas. Montre-toi déférente envers celui qui est à présent ton maître, ne lui refuse pas les bons procédés qui t'attireront sa tendresse conjugale. En te conduisant de la sorte, tu agiras pour le bien commun et le réconfort des tiens, et peut-être élèveras-tu cet enfant, le fils de mon fils, pour être le gage le plus précieux des intérêts de Troie, et que naisse de lui, qui sait ? une descendance qui relèverait les murs d'Ilion et ferait renaître la ville...

Mais j'arrête mon propos : il s'en propose un autre. Qu'y a-t-il encore, pour que je voie revenir ici ce Grec, ce valet ? Quelles nouvelles décisions va-t-il annoncer ?

(Talthybios s'avance avec une escouade de soldats.)

TALTHYBIOS. — Veuve d'Hector, qui fut le plus vaillant des Phrygiens, ne me prends pas en haine : c'est bien à contrecœur que je suis ici le messager d'une résolution prise d'un commun accord par l'armée grecque et les Atrides.

ANDROMAQUE. — De quoi s'agit-il ? Ce préambule me fait augurer le pire.

TALTHYBIOS. — Il a été décidé que ton fils... Je n'ose continuer...

ANDROMAQUE. — Tu ne veux pas me dire qu'on lui assigne un autre maître qu'à moi ?

TALTHYBIOS. — Personne d'entre les Grecs ne sera son maître, jamais.

ANDROMAQUE. — Quoi ? On veut le laisser ici, ce dernier reste du sang troyen ?

TALTHYBIOS. — Il m'est bien dur de te parler tout net. Je ne sais comment faire...

ANDROMAQUE. — En d'autres circonstances je te saurais gré de tes égards – mais c'est un malheur que tu vas me dire...

TALTHYBIOS. — Un grand malheur, sache-le : ton fils va être mis à mort.

ANDROMAQUE. — C'est affreux ! Qu'as-tu dit ?... Malheur pire que tous les malheurs !

TALTHYBIOS. — À l'assemblée plénière des Grecs, Ulysse a fait prévaloir ses vues. Il opinait...

ANDROMAQUE. — Redoublement d'horreurs ! Y aura-t-il une borne aux malheurs que j'endure ?

TALTHYBIOS. — ... qu'il ne fallait pas laisser vivre le fils d'un si vaillant guerrier...

ANDROMAQUE. — Ah ! puissent de telles vues prévaloir quant à sa progéniture à lui !

TALTHYBIOS. — ... mais le précipiter du haut des remparts de Troie. Allons, laisse les choses suivre leur cours, ce sera de ta part l'attitude la plus sage. Ne te cramponne pas à lui ; montre ta grandeur d'âme à assumer les douleurs qui te frappent. Ne te fais pas illusion sur tes forces : tu es absolument désarmée, car tu n'as de secours nulle part. Il faut voir la situation en face : ta patrie, ton mari ne sont plus, tu es sous le joug. Une femme, et toute seule, nous sommes de taille à l'affronter, nous autres. Ainsi ne cède pas à la tentation de vouloir te battre, ne fais rien qui t'avilisse ou qui prête à rancune contre toi. Et ne te répands pas non plus, crois-moi, en imprécations contre les Grecs. Si tu dis le moindre mot qui puisse irriter l'armée, cet enfant risquerait de n'être pas enseveli et d'être privé des rites de deuil. En te taisant, en prenant les événements comme il est raisonnable, tu ne laisseras pas derrière toi le petit cadavre sans sépulture ; et quant à toi, tu y gagneras plus de bienveillance de la part des Grecs.

ANDROMAQUE. — Mon enfant chéri, mon trésor inestimable, tu vas mourir victime de nos ennemis, tu vas quitter ta pauvre maman ! C'est la généreuse vaillance d'un père qui va faire ta perte, elle qui est le salut de tant d'autres ! Ce n'est pas à toi qu'elle aura été profitable, la vertu paternelle... Ah ! quel malheur pesait sur le mariage où je me suis donnée corps et âme ! En ce temps-là, lorsque j'entrai sous le toit d'Hector, le fils que j'espérais avoir, ce n'était pas un agneau à immoler pour des Grecs, c'était un prince qui régnât sur la fertile Asie ! Mon enfant, tu pleures ?... tu sens le malheur qui t'attend ? Pourquoi tes mains se crispent-elles sur moi en s'accrochant à ma robe, petit poussin qui viens te blottir sous mon aile ? Hector ne viendra pas, armé de sa lance glorieuse, il ne ressuscitera pas de terre pour te sauver – ni lui, ni ceux de ton lignage, ni les forces vives de Troie. C'est une chute atroce qui te guette, tu vas tomber sur la nuque, précipité de bien haut par ces bourreaux sans pitié, et tu rendras le dernier souffle dans un hoquet. Ô petit être dont l'étreinte donnait tant de joie à ta maman, tendre chair si doux-fleurante, c'est donc en vain que je t'ai emmailloté, et nourri de mon lait, c'est pour néant que j'ai pris toutes ces peines, ces soins épuisants... Une fois encore – et jamais plus ! – embrasse ta maman, serre-toi contre celle qui t'avait donné la vie, noue tes bras autour de ma nuque, donne-moi ta bouche pour un baiser !

Ah ! quelles atrocités de barbares vous avez su trouver, vous autres Grecs ! Pourquoi tuez-vous cet enfant à qui vous n'avez rien à reprocher ?... Hélène, vil drageon de la souche de Tyndare – fille de Zeus, toi ? Jamais ? Des pères, tu en as légion, et je les nomme : Génie du mal, Esprit de haine, Carnage, Trépas, et tous les fléaux que nourrit la terre. Non, je prends sur moi de te le dire, tu n'as pas Zeus pour père, toi, pourvoyeuse de l'Enfer pour tant de Troyens et de Grecs ! Male mort à toi ! Par tes beaux yeux le glorieux terroir de Troade a été voué sans vergogne à l'anéantissement !

Eh bien, emmenez-le, emportez-le, écrasez-le au sol si votre bon plaisir est de l'écraser, dévorez-le, cannibales ! Les dieux ont décrété notre perte et je ne saurais préserver mon fils de la mort. Dérobez au jour mon pauvre corps, jetez-le à fond de cale... Ah ! les belles noces où je m'achemine, après avoir perdu ce fils qui était à moi !

> *(Elle se cache tout entière dans ses voiles après avoir remis l'enfant aux mains de Talthybios. Le chariot s'éloigne.)*

LE CORYPHÉE. — Malheureuse Troie, combien de tes enfants tu auras perdus à cause d'une seule femme et de ses exécrables amours !

TALTHYBIOS. — Allons, pauvre petit, ta malheureuse mère a dénoué l'étreinte où elle te serrait. Marche vers les créneaux, là-haut, qui font couronne aux tours des aïeux : pour ton dernier soupir c'est le lieu que t'assigne un vote inéluctable. *(À ses hommes)* Emportez-le... Hélas ! pour de pareils mandats il faudrait un héraut sans pitié, plus enclin à ne rougir de rien que ne me le permet, à moi, ma conscience !

(Il s'éloigne avec les soldats qui emportent Astyanax.)

HÉCUBE. — Mon enfant, toi, le fils de mon malheureux fils, ces bandits criminels nous arrachent ta vie, à ta mère et à moi. Que devenir ? Pour toi, que faire en ma détresse ? Te dédier ces plaies, ces coups dont je meurtris ma tête, ma poitrine – le seul droit qui me reste ! Hélas sur ma patrie ! Hélas, pauvre petit ! Est-il rien qui nous soit épargné, est-il rien que nous devions encore subir, quand tout s'acharne, avant d'atteindre au terme où tout est consommé.

(Elle retombe dans sa prostration.)

LE CHŒUR. [Strophe I]
L'île de Salamine, où butine l'abeille
et que cerne la houle, était, grand Télamon,
le siège de ta royauté,
ce fief dont les pentes regardent
la sainte colline où Pallas
pour la première fois donne spectacle aux hommes
de l'Olivier au feuillolement glauque,
don du Ciel et joyau
pour couronner la radieuse Athènes !
En venant assister de tes exploits l'Archer,
tu as pris pied, tu as pris pied sur notre sol
avec le fils d'Alcmène
pour emporter et saccager la ville
notre Ilion, notre Ilion,
au temps jadis, lorsque tu débarquas
de ton Hellade.

[Antistrophe I]
Outré de s'être vu refuser les chevaux,
il amenait – déjà – la fleur des fils d'Hellade.
Quand il eut atteint l'estuaire
du Simoïs, traversée faite,
il fit rompre l'élan des rames,
échoua son vaisseau, l'amarra par la poupe ;

79

il en tira l'arme qui dans sa main
touchait toujours le but
et frapperait à mort Laomédon.
Les blocs taillés selon l'équerre de Phébus,
par la flamme, la flamme et son haleine fauve,
il les démantela
et saccagea le domaine de Troie.
Deux fois, par deux vagues d'assaut
un choc sanglant aura brisé les murs
de Dardanie.

[Strophe II]

De rien ne sert, je vois, beau Ganymède
le prestige de ton office
auprès de Zeus – ta démarche lascive
allant, venant avec les hanaps d'or
veille à ce qu'Il ait bien sa coupe toujours pleine –
et l'incendie réduit ta Mère en cendres !
Sur les plages aux flots amers
tout n'est que cris de deuil.
Comme l'oiseau criant pour ses petits, les unes lamentent
leur lit désert, et d'autres leurs enfants,
d'autres leur vieille mère ! Et les bains qui laissaient
leurs perles sur ton corps, les pistes de gymnase
qui te voyaient t'exercer à la course,
il n'en reste plus rien ! Mais toi, beau jouvenceau,
près du trône de Zeus, tout rayonnant de grâces,
pour Le servir tu gardes un visage
serein, limpide – à l'heure où le domaine
où Priam était roi vient, sous l'assaut des Grecs, de s'écrouler !

[Antistrophe II]

Amour, Amour, aux palais d'Ilion
tu vins jadis, ayant touché
d'ardent désir les habitants du Ciel.
Sur quel pavois n'as-tu pas fait monter
en ce temps-là les grandeurs d'Ilion
grâce aux nœuds par lesquels tu l'as liée aux dieux !
Je ne dirai plus rien dont Zeus
puisse être éclaboussé. Mais Aurore, aujourd'hui,
en déployant la blancheur de ses ailes
pour épandre ici-bas sa lumière bénie,
ce qu'Elle a vu, ce qu'Elle a vu, c'est l'agonie
de la contrée et de la citadelle
où était né l'époux qu'Elle prit en son lit

et qui la rendit mère, enlevé jusqu'à Elle
sur un chariot d'or, un quadrige d'étoiles...
Pour la patrie, c'était un grand espoir :
mais les charmes où Troie savait prendre les dieux,
c'en est fini !

(Entre Ménélas, escorté d'hommes en armes.)

MÉNÉLAS. — Ah ! la belle lumière radieuse, celle du jour que voici, où je vais remettre la main sur mon épouse, Hélène ! Tel que vous me voyez, j'ai essuyé bien des tourments, moi, Ménélas, et l'armée des Grecs avec moi [...] – Mais si je suis venu à Troie, ce n'est pas tant, comme on se le figure, pour retrouver une femme, c'était pour m'en prendre à l'homme, au larron d'hospitalité qui, sous mon toit, m'a piraté mon épouse. Pour celui-ci, grâce aux dieux, justice est faite, sur lui et son pays qui est tombé sous l'assaut des Grecs. Quant à la « Spartiate » – oui, il m'en coûte de prononcer le nom de cette femme qui fut un jour la mienne – me voici pour l'emmener. Elle se trouve en effet dans une de ces baraques à prisonnières, où elle fait nombre avec les autres, celles de Troie. Ceux qui ont tant peiné pour la ravoir l'ont abandonnée à moi pour la frapper de mort, ou bien, la mort mise à part, la ramener si je le désire au pays d'Argos. J'ai décidé de ne pas régler ici à Troie le sort d'Hélène, et de lui faire repasser la mer ; une fois débarquée en Grèce, et là-bas seulement, je la livrerai pour qu'ils la punissent de mort à ceux qui ont perdu devant Troie des êtres chers.

Allons, sus ! mes gens, pénétrez dans ces locaux, et traînez-la ici par les cheveux, cette goule d'Enfer ! Dès que se lèvera un vent favorable, nous filerons sur la Grèce avec elle.

HÉCUBE *(qui s'est redressée en entendant la diatribe de Ménélas)*. — Ô Toi qui sur la terre prends appui, qui tiens sur la terre tes assises, qui que Tu sois, Être indéchiffrable et inconnaissable, Zeus, ou Nécessité inscrite dans la nature, ou Intelligence innée à l'homme, c'est à Toi que je fais oraison. Car sans bruit, pas à pas, Tu suis tes voies pour conduire selon la Justice les choses humaines.

MÉNÉLAS. — Quoi ? Quelle formule tu prends pour prier les dieux ! C'est une innovation !

HÉCUBE. — Je t'approuve, Ménélas, de vouloir mettre à mort ton épouse. Mais dès le premier regard fuis-la, pour ne pas te laisser reprendre à l'hameçon du désir. Cette femme enchaîne le regard des hommes, déchaîne la ruine sur les cités, met le feu dans les maisons : elle a un tel don d'ensorceler ! Je la connais, moi – et toi aussi, et toutes ses victimes...

> *(Hélène apparaît, encadrée par les soldats : elle a su leur en imposer, et ils ne la traînent pas par les cheveux comme ils en avaient reçu l'ordre. Elle est parée avec le plus grand soin, et si elle est un peu déshabillée, c'est par calcul, non parce qu'on l'a brutalisée.)*

HÉLÈNE. — Ménélas, voici bien, d'entrée de jeu, de quoi mériter mon effroi. Tes sous-ordres ont porté la main sur moi et m'amènent de force ici dehors ! Ah ! je sais bien que tu me gardes rancune, mais je veux pourtant te poser une question : quelles sont vos résolutions, aux Grecs et à toi, concernant ma vie ?

MÉNÉLAS. — Ton affaire n'est pas réglée dans les détails. Mais l'armée a été unanime à te livrer à moi pour être mise à mort puisque c'était moi ton offensé.

HÉLÈNE. — Sur ce pied-là, me laisse-t-on le droit de réponse pour plaider que ma mort, si je dois mourir, sera une iniquité ?

MÉNÉLAS. — Je ne suis pas venu pour discuter, mais pour te tuer.

HÉCUBE. — Écoute-la, ne lui refuse pas cela avant sa mort, Ménélas. Mais accorde-moi, à moi, le droit de répliquer pour l'accusation. Sur les méfaits qu'elle a commis à Troie, tu ne sais rien. C'est un compte dont le bilan entraînera sa mort, et sans la moindre échappatoire.

MÉNÉLAS. — Temps perdu, cette faveur ! Enfin, puisqu'elle veut la parole, soit. Mais si je la lui donne, c'est bien pour pouvoir t'entendre, toi. Qu'elle ne s'y trompe pas ! La lui donner par égard pour elle ? ah ! non !

HÉLÈNE *(à Ménélas).* — Quoi qu'il doive ressortir, de ce que je dirai, sur le bien ou le mal fondé de ma thèse, peut-être ne me répondras-tu pas, par hostilité butée. Mais je me doute des reproches que tu me feras, le jour où tu voudras bien discuter, et j'y opposerai mes réponses.

La première source et mère de nos malheurs, ce fut cette femme, comme mère de Pâris. Le second responsable de la perte de Troie et de la mienne, c'est le vieillard qui ne fit point périr le nouveau-né, le futur Alexandre, dont le rôle néfaste était figuré par un brandon enflammé. À partir de là, écoute ce qu'il en est de la suite des événements. Pâris avait à rendre sentence entre le trio des trois déesses. Pallas lui offrait la conquête de l'Hellade à la tête d'une expédition phrygienne. Héra lui promit, s'il tranchait en sa faveur, de réunir sous son sceptre à lui, Pâris, Asie et territoires d'Europe. Quant à Cypris, en vantant mes formes éblouissantes, elle promit que je serais sienne, s'il lui donnait le pas pour la beauté sur les autres déesses. À partir de là, observe bien la suite de mon raisonnement. Cypris triompha de ses rivales. Et l'union à laquelle je fus livrée a eu au moins pour la Grèce cet avantage que vous n'êtes pas au pouvoir des Barbares, ni à la suite d'un affrontement militaire, ni par vassalité. Mais ce qui fit le bonheur de la Grèce fut ma perte à moi. Parce que j'étais belle, on a trafiqué de moi, et je suis honnie à cause des faits mêmes pour lesquels on devrait me tresser des couronnes.

Tu vas me dire que je n'aborde pas là ce qui achoppe : la question de mon départ de chez toi, tout d'un élan, en cachette. C'est qu'en arrivant il avait avec lui une alliée de taille – sa déesse – celui qui m'a jetée dans un enfer, cet Alexandre, ou ce Pâris, appelle-le comme tu voudras. Lui que tu as laissé sous ton toit, criminel que tu es, quand tu as quitté Sparte pour cingler vers la Crète... Passons. Ce n'est pas toi, c'est moi-même que j'interroge à présent. Qu'avais-je en tête pour m'échapper de chez moi aux trousses d'un étranger, trahissant à la fois ma patrie et mon foyer ? C'est contre la déesse que tu dois sévir : montre-toi en cela plus fort que Zeus qui, régnant en maître sur toutes autres divinités, est bel et bien l'esclave de celle-là ! Moi, j'ai droit au pardon.

Pour la suite, tu aurais contre moi un argument spécieux : Alexandre une fois mort et descendu aux cachots de sous-terre, j'aurais dû, dégagée que j'étais de l'union dont la déesse avait fait son ouvrage, quitter son palais et gagner les vaisseaux grecs. C'est justement à quoi je me suis évertuée. J'en prends à témoin les factionnaires aux portes des tours et les sentinelles au haut des courtines. Ils m'ont souvent surprise à vouloir laisser glisser mon corps le long d'une corde jusqu'au sol, pour m'esquiver. Mais l'autre, le nouvel époux qui, de force, s'était saisi de moi, Déiphobe, entendait conserver son épouse, envers et contre les Troyens. Dans ces conditions comment pourrais-tu, en toute justice, me mettre à mort, toi mon mari ? [Et comment bien plutôt ne serais-je pas] justifiée à attendre de toi [des consolations], moi qui ne fus l'épouse de l'un que par la force, et qui, du côté de l'autre, à son foyer, n'ai reçu, au lieu des hommages d'un cœur conquis, que les rebuffades de la servitude ? Et si tu veux être plus fort que les divinités, ça, c'est de ta part une prétention insensée.

LE CORYPHÉE. — À toi, reine, de soutenir la cause de tes fils et de notre patrie ; pulvérise sa force de persuasion, puisqu'elle est aussi bien disante que malfaisante – redoutable cumul !

HÉCUBE. — À la rescousse des déesses, pour commencer ! Ce que cette femme dit d'elles est parfaitement injustifié, et je vais le montrer. On ne me fera pas croire, à moi, qu'Héra et la vierge Athéna ont été assez insensées pour en venir à ce maquignonnage, la première livrant son Argos aux Barbares, et Pallas mettant Athènes sous le joug des Phrygiens – jamais ! C'est seulement par badinage et foucade de coquetterie qu'elles se sont rendues sur l'Ida. Quel motif Héra aurait-elle eu d'avoir tellement à cœur de se savoir belle ? Le désir de conquérir un époux qui fût au-dessus de Zeus ? Et Athéna, faisait-elle la chasse au mari parmi les dieux qui l'entourent, elle qui a obtenu de son Père la faveur de rester vierge, tant elle répugne aux œuvres de chair ? N'essaie pas de farder ta perversité en prêtant à une déesse des calculs insensés : tu n'en imposeras pas à qui y voit clair.

Quant à Cypris, selon toi – c'est à pâmer de rire ! – elle serait venue avec mon enfant au palais de Ménélas ? Comme si elle n'avait pas pu, tout en restant tranquillement au Ciel, t'emmener à Ilion, avec toute sa ville d'Amyclées ! Allons donc ! Mon fils était éblouissant de beauté, et c'est là le charme *aphrodisiaque* qui t'a envoûtée. Tous les égarements humains, on les appelle *Aphrodite*, et ce n'est pas pour rien que le nom de la déesse rime avec *inconduite* ! Lorsque tu as vu Pâris dans son accoutrement barbare, tout chamarré d'or, cela t'a tourné la cervelle. Ton train de vie en Grèce était mesquin. En quittant Sparte pour la capitale phrygienne et ses flots d'or tu as compté pouvoir te livrer à un déluge de somptuosités. Le palais de Ménélas ne te suffisait pas pour que ton dérèglement scandaleux y eût ses aises.

Passons. Tu prétends que mon fils t'a enlevé de force ? Qui à Sparte en a eu vent ? Quels cris d'alarme as-tu poussés ? Castor était encore là pourtant, dans toute sa fougue, avec son frère : ils n'étaient pas encore parmi les astres ! Tu es venue à Troie, et les Argiens à tes trousses ; ce fut l'affrontement armé et ses carnages. T'annonçait-on que l'avantage était à

Ménélas ? tu chantais ses louanges, pour contrarier mon fils à l'idée qu'il avait en amour un rival d'une telle envergure. La chance était-elle en faveur des Troyens ? balayé Ménélas ! Tu n'avais d'yeux que pour le succès, et ton unique étude était de lui emboîter le pas – mais pour la vertu, nenni ! Là-dessus, tu viens nous parler d'évasions avec des cordes autour du corps, en te laissant glisser du haut des tours, comme si l'on t'avait contrainte à rester ? Mais où t'a-t-on prise à te serrer un lacet autour du cou, à aiguiser un poignard – ce que le regret de son premier mari ferait faire à une femme de cœur ? Je t'ai pourtant maintes fois sermonnée : « Mon enfant, te disais-je, quitte-nous. Mes fils trouveront d'autres mariages ; je t'aide- rai, moi, à t'éclipser et à atteindre les navires grecs. Mets fin à cette guerre entre l'Hellade et nous. » Mais ces conseils, tu les prenais fort mal. Il fallait à ton arrogance le palais d'Alexandre ; des barbares prosternés à tes pieds, c'est cela que tu trouvais magnifique... Et sur ce, tu as attifé ton élégante personne, et te voici dehors, tu oses emplir ton regard du même ciel que voit ton époux ? On devrait te cracher au visage ! C'est vêtue de haillons, rampante, grelottant d'effroi, la tête sauvagement tondue, que tu aurais dû te présenter, et montrer résipiscence plutôt qu'effronterie, avec le passé qui est le tien, scélérate !

(À Ménélas) Voici à quoi je conclus, Ménélas, écoute bien : couronne la victoire de la Grèce en tuant cette femme. Ta dignité l'exige. Et donne force de loi à cet exemple, pour toutes les autres ; à qui trahit son époux, la mort !

Le Coryphée. — Ménélas, sois digne de tes ancêtres et de ta Maison, punis ton épouse ! Ne prête pas aux clabaudages de la Grèce, qui dirait que tu n'es pas un homme, preux comme tu t'es montré devant l'ennemi.

Ménélas *(à Hécube)*. — Je suis pleinement d'accord avec toi : c'est de son propre chef qu'elle a quitté mon foyer pour s'en aller coucher avec un étranger. Cypris, que son argumen- tation nous a jetée à la tête, ce n'est que poudre aux yeux.

(À Hélène) En route vers le rendez-vous où t'attendent ceux qui te lapideront : ils te feront expier en une minute les longues années de souffrance que tu as values aux Grecs. Cela t'apprendra tes devoirs envers moi, dévergondée !

Hélène. — Non ! à tes genoux, je t'implore ! Ne m'impute pas à moi ce que les dieux nous ont infligé ! Ne me tue pas, pardonne !

HÉCUBE. — Ceux que cette femme a trahis, tes compagnons d'armes, ne les trahis pas ! En leur nom, au nom de leurs enfants, je t'en conjure !

MÉNÉLAS. — Silence, tête grise ! Je me désintéresse complètement de cette femme. Ordre à mes sergents de l'emmener d'ici et de l'embarquer sur le navire où elle aura à faire la traversée.

(Hélène est entraînée par les hommes d'armes.)

HÉCUBE. — Qu'elle ne monte surtout pas sur le même vaisseau que toi !

MÉNÉLAS. — Et pourquoi donc ? S'est-elle tant alourdie depuis son départ ?

HÉCUBE. — Au cœur d'un amoureux, toujours couve la flamme.

MÉNÉLAS. — C'est selon. Tout dépend des dispositions que la personne aimée aura fait éclater. Mais je suivrai ton avis : je ne la prendrai pas à mon bord, tu n'as pas tort. Et, arrivée en Argos, elle subira la vilaine mort que mérite sa vilaine conduite. Avis à toutes les femmes pour les inviter à marcher droit. Elles y sont plutôt rétives – mais sa triste fin intimidera leurs instincts dépravés, fussent-elles encore plus malintentionnées qu'elles ne le sont.

(Il s'éloigne.)

LE CHŒUR.   [Strophe I]
           Ô Zeus, ton temple d'Ilion,
      ton autel des parfums, Tu les as donc livrés
                à la furie des Grecs !
   et la flamme où grillait la pâte des offrandes,
    et la myrrhe élevant vers le ciel ses fumées,
     et la sainte Pergame, et l'Ida, ha ! l'Ida
        (fourrés de lierre au creux des combes,
         torrents roulant les eaux des neiges
            premier jalon que la lumière
            vient frapper au soleil levant)
   ce séjour qu'illumine une clarté mystique !

                                            [Antistrophe I]
           Pour toi, finis les sacrifices
  les chorals de louange et les veillées de fête
                en liturgies nocturnes,
   et les « majestés » d'or, ces divines images,
et les disques de lune offerts, douzains mystiques,
  par les Troyens ! C'est ma hantise : y penses-Tu,

y penses-Tu, dis, Roi des dieux,
là-haut sur ton trône céleste,
et au brasier où se consume
notre patrie anéantie
dans l'assaut embrasé du feu qui la dévore ?

[Strophe II]

Ô mon amour, ô mon mari,
tu n'es plus rien qu'une ombre errante :
point de tombeau pour toi, point d'eau lustrale !
Et moi, sur la mer, un vaisseau
va d'un coup d'aile m'emporter
vers l'Argolide et ses haras,
et vers ses murs cyclopéens
qui haussent jusqu'au ciel leurs falaises de pierre !
Et mes enfants, gémissants, éplorés
s'accrochent en grappes aux portes...
J'entends leurs cris, leurs cris !
« À moi, mère ! Les Grecs m'entraînent,
seule, sans toi... tu ne me verras plus !
Sur un vaisseau couleur de nuit,
plongeant dans l'eau salée les avirons m'emportent
à Salamine, l'île sainte,
ou bien vers le piton qui se dresse à Corinthe
au-dessus des deux mers et qui fait sentinelle
aux portes du Péloponnèse ! »

[Antistrophe II]

Ah ! s'il pouvait m'être accordé
que la fuste de Ménélas
en pleine mer, au milieu de l'Égée,
se vît attaquée de plein fouet
par la double flamme sacrée
de la foudre, puisqu'on m'exile
d'Ilion en terre d'Hellade
pour m'y noyer de pleurs, serve et déracinée !
Et les miroirs d'orfèvrerie
faits pour les ris et les grâces des filles
sont aux mains d'une Hélène !
Puisse-t-il ne revoir jamais
sa Laconie, le fief de ses ancêtres
ni son lit conjugal, ni Sparte,
ni les portes d'airain du temple de Pallas,
maintenant qu'il a ressaisi
celle dont l'adultère est pour la noble Grèce

une honte, et porta le deuil et le désastre
sur les rives du Simoïs !

> *(Talthybios s'avance, entouré d'hommes d'armes.*
> *Deux d'entre eux portent le corps d'Astyanax*
> *placé sur le bouclier d'Hector.)*

LE CORYPHÉE. — Ah ! sur notre pays coup sur coup se déchaînent d'autres calamités ! Pauvres veuves troyennes, voyez Astyanax... C'est lui, c'est son cadavre ! Les Grecs l'ont projeté, comme au lancer du disque, du haut de nos remparts, les brutes... Ses bourreaux ont recueilli le corps.

TALTHYBIOS. — Hécube, il ne reste plus au rivage qu'un dernier vaisseau, prêt à donner de la rame pour faire passer vers les côtes de Phthie le complément du butin réservé au fils d'Achille. Néoptolème lui-même est déjà en mer. D'après les nouvelles qu'il a reçues, il est arrivé quelque chose à Pélée : Acaste, fils de Pélias, l'a chassé de son pays. Aussi a-t-il brusqué son départ, renonçant à tout délai. Il a pris Andromaque avec lui, et elle m'a arraché bien des larmes au moment où elle a quitté terre en lamentant sa patrie et en disant adieu au tombeau d'Hector. Elle a demandé à son maître d'ensevelir le corps de cet enfant : tu vois, il a péri précipité du haut des remparts, ce fils de ton Hector. L'arme qui faisait la terreur des Grecs, le bouclier dont la carapace de bronze protégeait le torse de son père, elle a demandé qu'il ne fût pas emporté au foyer de Pélée, ni déposé dans l'appartement conjugal où sa vue lui eût été bien trop douloureuse à elle, Andromaque, mère de cette petite victime ; qu'au lieu d'un cercueil de cèdre et d'un monument de pierre on le lui donnât pour dernière demeure. Elle m'a dit de remettre l'enfant entre tes mains pour que tu lui rendes tes soins – linceul et couronnes – dans la mesure du possible en l'état où tu te trouves, puisqu'elle a dû partir et que la hâte de son maître l'a empêchée d'assurer elle-même la sépulture de son enfant. Mais dès que tu auras fait la toilette du corps, nous dresserons le tertre sous lequel il sera enterré, et nous lèverons l'ancre. Allons, remplis au plus vite la tâche qui t'est assignée. Il est au moins une peine dont j'ai pu te décharger : en franchissant ici près les eaux du Scamandre, j'ai baigné le corps et nettoyé ses plaies.

Allons, je vais aller lui faire ouvrir une tombe par des fossoyeurs. Il s'agit de gagner du temps, en faisant concurremment ce qui nous incombe à toi et à moi, pour appareiller et rentrer chez nous.

> *(Il s'éloigne avec ses hommes, sauf ceux qui portent le bouclier.)*

HÉCUBE. — Posez à terre la rondache d'Hector. *(Elle s'approche.)* Ô douloureux spectacle à mes regards ! Quel crève-cœur ! Ah ! Grecs, vous avez moins lieu d'être fiers de votre sang-froid que de vos armes ! Quelle crainte cet enfant a-t-il fait naître en vous pour que vous commettiez ce meurtre inouï ? Qu'il ne relevât un jour Troie de ses ruines ?... Votre valeur n'était donc que néant ? Comment, les succès d'Hector, et ceux que mille et mille autres bras remportaient dans la mêlée n'empêchaient pas notre perte, et maintenant que la ville est tombée, que les Phrygiens sont écrasés, vous avez pris peur d'un si petit enfant ? Laide crainte, je le dis, celle qui craint sans avoir fait raisonnablement le tour des choses !

Ô mon chéri, quel coup fatal, la mort qui t'a saisi ! Si tu étais mort au service de la patrie, après avoir connu l'épanouissement de l'âge, le mariage, et la royauté qui nous égale aux dieux, quel bonheur serait le tien – si tant est que ce soient là des bonheurs ! Mais en réalité [...] tu ne sais pas, mon enfant : tu les avais dans ton berceau, et tu n'en as pas joui ! Pauvre petit ! C'est atroce comme ta tête a été scalpée par les remparts dont Apollon a élevé les tours pour tes ancêtres... Ces boucles que ta mère a si souvent coiffées avec amour en les offrant à ses baisers – et où miroite le sang qui jaillit des os brisés... mais je me tais, c'est trop horrible !... Ô menottes où nous aimions à retrouver une ressemblance de fils au père, comme vous voici inertes devant moi, désarticulées ! Lèvres chéries, dont le babil m'a bercée de promesses, vous voici glacées ! Quel démenti à ce que tu disais en te jetant sur mon lit : « Grand-mère, en ton honneur je me couperai une grande mèche de cheveux, et je conduirai à tes obsèques toute la bande de mes camarades en t'adressant mes adieux : je t'aime tant ! » Ce n'est pas toi qui m'enseveliras, c'est moi qui te rends ce devoir, ô misère ! à ta jeune dépouille, moi vieille femme désormais sans patrie, sans enfants... Hélas, tant de caresses, tous mes soins nourriciers, ces veilles sur ton sommeil, tout cela est à vau-l'eau ! Que pourrait bien graver un poète sur ta tombe ? « L'enfant qui gît ici les Grecs l'ont mis à mort ; ils ont eu peur de lui ». Quelle honte pour la Grèce, cette épitaphe !

Du moins, si tu n'as pas recueilli l'héritage de ton père, tu auras pourtant de lui son bouclier, dont la coquille de bronze sera ta dernière demeure. *(Caressant des doigts le bouclier)* Ô toi qui au bras d'Hector en protégeais la belle musculature, tu as perdu ton vaillant gardien ! Quelle tendre émotion de voir sur ta poignée l'empreinte de ses doigts, sur le bel arrondi du rebord dont tu es ourlé celle de la sueur qui souvent coulait de son front lorsqu'au cours des efforts du combat il y appuyait le menton, mon Hector ! *(À des captives)* Vous autres, allez chercher et rapportez ici de quoi parer le pauvre petit cadavre ; prenez sur ce qui nous reste. Car le destin ne nous met pas en état de faire des splendeurs. Mais ce que j'ai, tu l'emporteras.

(Les femmes entrent dans la baraque.)

Bien fol est ici-bas qui se prête à la joie d'un bonheur qu'il croit stable ! Les caprices du sort sont ceux d'un détraqué, sautant deçà delà, et le bonheur jamais n'est lié pour personne à son identité.

LE CORYPHÉE. — Tiens, les voici qui reviennent, les bras chargés : elles ont pris sur le butin saisi à Troie de quoi parer le mort.

HÉCUBE *(recevant les étoffes et objets)*. — Petit enfant, ce que je t'offre n'est pas pour une victoire que tu aies remporté sur tes jeunes rivaux dans une course de chars ou au tir à l'arc qui sont en honneur chez les Troyens. Ce que je puis réunir est loin de répondre à ce que je voudrais pour toi, moi la mère de ton père ; ces ornements que je dépose sur ton corps sont tirés de ce qui était à toi naguère. Mais cette créature d'abomination, Hélène, aura été ta spoliatrice en même temps que ta meurtrière et la destructrice de notre Maison.

LE CHŒUR.
> *Hélas ! hélas ! Ta mort me broie, me broie le cœur,*
> *toi dont hier encore la patrie attendait*
> *un règne de grandeur !*

HÉCUBE *(parant le corps)*. — Les tissus qui auraient dû être ta parure le jour de ton mariage avec la plus haute princesse de l'Asie, ces étoffes phrygiennes, je drape ton corps dans leur magnificence. *(Parant le bouclier)* Et toi, belle mandorle de victoire – tant et tant de trophées, naguère, nés de tes œuvres ! – fidèle bouclier d'Hector, pour toi aussi une guirlande funéraire : tu ne saurais mourir, et pourtant n'est-ce pas une mort, ta communauté de destin avec un cadavre ? Certes tu mérites plus de vénérations que le harnois de cet Ulysse qui n'est qu'un malin et un lâche.

LE CHŒUR.
> *Ô deuil ! ô deuil !*
> *Petit enfant, noir chagrin de mon cœur,*

la terre va te recevoir !
Gémis sur lui, toi son aïeule...

HÉCUBE.

Ô deuil !

LE CHŒUR.

... la complainte des trépassés !

HÉCUBE.

Hélas !

LE CHŒUR.

Hélas, oui bien ! Tes douleurs sont sans fond !

HÉCUBE. — Je vais traiter tes plaies en les serrant sous des bandages... Misérable traitement ! Pourquoi un pareil mot, quand les faits sont sans remède ?... Le reste, ton père en prendra soin chez les morts.

LE CHŒUR.

Frappe, frappe ta tête et fais force de griffes !
Deuille, deuille le deuil !

HÉCUBE. — Ah, mes fidèles amies...

LE CHŒUR. — Oui, Hécube, nous sommes à toi, parle : qu'as-tu à proclamer ?

HÉCUBE. — Que les dieux, c'est trop clair, n'ont jamais eu en vue que d'être mes bourreaux ; qu'entre toutes cités ils ont voué à Troie leur prédilection de haine : c'est en vain que nous immolions pour eux des hécatombes. Pourtant si quelque dieu nous eût enveloppés dans un obscur linceul, engloutis, enterrés, nous serions effacés sans offrir aux poètes matière à célébrer la geste d'Ilion pour la postérité.

Allez ensevelir le corps dans sa tombe d'infortune. Il a reçu ce qu'il faut, oui, comme il est dû pour les défunts. Les morts sont fort indifférents, je pense, à la somptuosité des derniers soins qu'on leur rend ; ce n'est là que vaine gloriole de la part des vivants.

(Les deux soldats emportent le bouclier avec le cadavre.)

LE CORYPHÉE. — Hélas, ta pauvre mère ! Ah ! les voici en loques, les hautes espérances dont tu berçais sa vie ! On exaltait bien haut ton bonheur d'être issu de si noble lignage, et te voici fauché par une mort atroce !

Holà ! Holà ! Voyez : sur les sommets de Troie j'aperçois des lueurs de torches enflammées ! Quelles mains se déchaînent ? Ilion va subir encore quelque désastre !

(Entre Talthybios, avec des officiers portant des torches.)

TALTHYBIOS. — Vous, capitaines qui avez mission d'incendier la citadelle de Priam, n'attendez plus : mettez à l'ouvrage la flamme que vous tenez en main. Boutez le feu à la cité d'Ilion, que nous n'en laissions que décombres, et puissions en toute allégresse quitter la Troade pour rentrer chez nous ! *(Au Chœur)* Quant à vous, filles de Troie – c'est la seconde face de ce que j'ai à dire – sitôt que l'État-major aura fait donner à tous les échos les éclats de la trompette, mettez-vous en route vers les vaisseaux grecs pour y être embarquées et prendre la mer. *(À Hécube)* Et toi, pauvre aïeule si cruellement frappée, suis ces hommes : ils sont venus te chercher de la part d'Ulysse à qui tu es échue pour qu'il t'emmène esclave loin de ta patrie.

HÉCUBE. — Ô désolation ! Voici donc bien le dernier coup, le terme ultime de ce que j'ai déjà souffert ! Je pars pour l'exil, ma patrie est offerte à l'incendie. Allons, pauvre vieille, à tes genoux épuisés demande encore un élan, pour ton salut d'adieu à ta cité suppliciée...

Toi que ton souffle altier, ô Troie, mettait si haut parmi tous les Barbares, tout, ta gloire et ton nom, va donc t'être arraché ! On te livre à la flamme, et nous, déracinées, on nous emmène esclaves. Ô dieux ! Mais à quoi bon interpeller les dieux ? Déjà par le passé ils sont toujours restés sourds à tous nos appels. Que je coure au brasier ! Ai-je plus belle issue ? Ici dans ma patrie, succomber avec elle en son embrasement !

TALTHYBIOS. — Tu es saisie de vertige, malheureuse, par l'excès de tes souffrances. Allons, emmenez-la, sans ménagement. Il faut la remettre sous bonne escorte aux mains d'Ulysse, à qui elle est adjugée.

HÉCUBE.

Oïoïoïoïoïôh !
Zeus, suzerain de la Phrygie,
premier père de notre race,
vois-tu ce que l'on fait subir
– par quelle indignité ! –
à la lignée de Dardanos ?

LE CHŒUR.

Certes, Il le voit, mais à présent
la cité de grandeur est cité de néant :
notre Ilion n'est plus !

HÉCUBE.

Oïoïoïoïoïôh !
Troie n'est que flamme, et les toits de Pergame

> la citadelle, et les hourdages
> de nos remparts, ils sont en feu, ils brûlent !

LE CHŒUR.

> Comme un nuage de fumée
> sous l'aile du vent qui l'entraîne
> notre patrie est effacée.
> Elle s'est effondrée sous les coups de la guerre.
> Les palais furieusement
> sont assaillis par le galop des flammes
> et par les ennemis en armes.

HÉCUBE.   [STROPHE I]

> Ô toi, sol nourricier des enfants que j'avais !...

LE CHŒUR.

> Hélas !

HÉCUBE.

> Ô mes enfants, entendez-moi,
> reconnaissez ma voix de mère !

LE CHŒUR.

> Par ces sanglots incantatoires
> ce sont tes morts que tu évoques !

HÉCUBE.

> Si vieille que je sois, je veux jeter au sol
> mes coudes, mes genoux...
> Et mes deux poings vont marteler la terre.

LE CHŒUR.

> À mon tour avec toi je mets genoux en terre
> en appelant de l'Outre-tombe
> celui dont le malheur a fait de moi la veuve.

HÉCUBE.

> Nous sommes un bétail, nous sommes un butin...

LE CHŒUR.

> Oh le deuil, le deuil que tu clames !

HÉCUBE.

> ... qu'on emmène au logis où nous serons esclaves...

LE CHŒUR.

> déracinées de la patrie.

HÉCUBE.

> Las ! du fond du néant, Priam, ô mon Priam
> resté sans sépulture et sans soins de tendresse,
> ne vois-tu point mon affreuse détresse ?

LE CHŒUR.

> Ses regards sont éteints dans le noir de la mort,
> lui, pieuse victime
> d'un sacrifice impie !

HÉCUBE. [Antistrophe]
>   *Ô vous, temples des dieux, ô ma ville chérie...*

LE CHŒUR.
>   *Hélas !*

HÉCUBE.
>   *... assassinés par le feu rouge*
>   *et par le fer des armes blanches...*

LE CHŒUR.
>   *... effondrés sur ce sol chéri*
>   *bientôt vous n'aurez plus de nom !*

HÉCUBE.
>   *Comme fumée qui prend vers le ciel son essor*
>   *la cendre va masquer*
>   *pour moi la place où était mon palais.*

LE CHŒUR.
>   *Et le nom d'Ilion se perdra dans la nuit :*
>   *tout est dissipé à tous vents.*
>   *La ville de douleurs, Troie, n'est plus de ce monde*

>   *(On entend un énorme fracas lointain.)*

HÉCUBE.
>   *Avez-vous reconnu ? Avez-vous entendu ?*

LE CHŒUR.
>   *Oui : le croulement de Pergame !*

HÉCUBE.
>   *Oh ! cet ébranlement partout... l'ébranlement...*

LE CHŒUR.
>   *... où va s'engloutir la cité !*

HÉCUBE.
>   *Las ! mes pauvres genoux tremblants, à pas tremblants*
>   *portez-moi ! Conduisez le reste de mon âge*
>   *là où m'attend le jour de l'esclavage !*

>   *(On entend sonner des trompettes.)*

LE CHŒUR.
>   *Hélas, pauvre patrie !... Et pourtant, en avant !*
>   *Viens, et marche avec nous*
>   *vers les vaisseaux de Grèce !*

TABLE DES MATIÈRES

527

Composition PCA – 44400 Rezé
Achevé d'imprimer en Europe
à Pössneck (Thuringe, Allemagne)
en juin 2002 pour le compte de E.J.L.
84, rue de Grenelle 75007 Paris
Dépôt légal juin 2002

Diffusion France et étranger : Flammarion